TEACHER'S GUIDE AND ANSWER KEY

TESTING PROGRAM

PRUEBAS Y EXÁMENES

Fabián A. Samaniego
University of California, Davis

M. Carol Brown
California State University, Sacramento

Patricia Hamilton Carlin
University of California, Davis

Sidney E. Gorman
Fremont Unified School District
Fremont, California

Carol L. Sparks
Mt. Diablo Unified School District
Concord, California

HEATH

D.C. Heath and Company

Lexington, Massachusetts

Toronto, Ontario

Illustration Credits:
Fian Arroyo
PC&F Inc.
Carlos Castellanos
Tim Jones
Claude Martinot
Tim McGarvey
Tech-Graphics Inc.
George Ulrich

Published simultaneously in Canada

Printed in the United States of America

International Standard Book Number: 0-669-23989-5

1 2 3 4 5 6 7 8 9 10 DBH 98 97 96 95 94 93 92

TESTING PROGRAM
PRUEBAS Y EXÁMENES

CONTENIDO

¡DIME!
UNO

TESTING PROGRAM
PRUEBAS Y EXÁMENES
INTRODUCTION

The **¡DIME! Uno** Testing Program includes a quiz **(Prueba)** for each lesson, an exam **(Examen)** for each unit, oral situation cards for each unit, a Midyear Exam, and a Final Exam. Each lesson quiz and unit exam consists of four parts designed to allow students to demonstrate growth in listening comprehension **(Comprensión oral),** mastery of forms and vocabulary taught **(Lengua en contexto),** reading comprehension and acquisition of cultural concepts **(Lectura y cultura),** and written language skills **(Escritura).** Because semester and final grading is often done in very limited time, the Midyear and Final Exams do not include an integrated writing section, though optional topics for writing are suggested. The **Interacciones** situation cards allow teachers to periodically evaluate progress in spoken language.

Each quiz and exam follows a parallel format, consisting of the four parts identified above. Suggested point values for each quiz (50 points) and exam (100 points) are "weighted," allowing 20% for listening comprehension, 30% for structure and vocabulary, 20% for reading comprehension and culture, and 30% for written language production. Suggested weighting of the Midyear and Final Exams allows 30% for listening comprehension, 40% for structure and vocabulary, and 30% for reading comprehension and culture.

The four sections of each quiz or exam correspond to specific components of the instructional program as follows:

I. **Comprensión oral:** Students listen to a passage read twice and respond to a series of prompts requiring them to demonstrate comprehension of the content of the passage. This section relates most directly to the listening comprehension practice provided with **Para empezar, ¿Qué decimos?** and the **¡A escuchar!** section of the ***Cuaderno de actividades.*** The audioscript of this material is reprinted in full in the Teacher's Guide and Answer Key.

II. **Lengua en contexto:** Students demonstrate control of the target structures and vocabulary by completing a variety of tasks which require not only manipulation of grammatical forms, but also comprehension of the material. This section relates most directly to the activities in **Charlemos un poco, ¿Por qué se dice así?** and in the ***Cuaderno de actividades.***

III. **Lectura y cultura:** Students read a passage and respond to prompts which require them to demonstrate comprehension of the content and to apply cultural understanding acquired in the lesson/unit. This section correlates most directly with the cultural readings in **Impacto cultural** and **Leamos ahora.**

IV. **Escritura:** Students demonstrate their ability to use recently acquired language and to integrate it with previously learned material. They are asked to write on topics related to the lesson or unit theme. They progress from generating a few simple sentences in the earliest lessons and units to writing cohesive paragraphs for later lessons and units. This section correlates most directly with the open-ended **Charlemos un poco más** activities, the **Dramatizaciones** and the **Escribamos un poco** sections of the text.

Correcting: The first three sections of each quiz/exam are designed so that responses can easily be identified as right or wrong—completely appropriate and accurate or not completely appropriate and inaccurate. Some teachers may choose to allow partial credit in the **Lengua en contexto** section for responses which are appropriate but may contain some errors.

In the **Escritura** section, responses should be evaluated holistically, according to the student's ability to perform the task comprehensibly. A suggested rubric for assigning points to this section follows (this example is based on a quiz item worth 15 points):

14–15 points Superior response. All aspects of task exceed expectations. Much detail/information included. Response completely understandable. Extremely high degree of accuracy.

12–13 points Good response. All or most aspects of task meet or exceed expectations. Considerable detail/information included. Response completely understandable. Few serious errors.

9–11 points Acceptable response. Requirements of task adequately met. Sufficient or barely sufficient detail/information provided. Some errors, but in general comprehensible.

6–8 points Inadequate response. Some or several aspects of task not accounted for. Insufficient information. Numerous errors. Only some parts of response are comprehensible.

0–5 points Unacceptable response. Very little or none of task accomplished. Numerous errors of a serious nature. Totally inaccurate. Totally incomprehensible. Reliance on English. No attempt made.

Grading: How teachers record and average grades is highly individualistic, but teachers may wish to consider the following suggestions for assigning letter grades to quiz/exam performance:

Quiz point score	Exam point score	Percentage	Letter grade
48–50	95–100	95–100	A
45–47	90–94	90–94	A–
44	87–89	87–89	B+
42–43	84–86	84–86	B
40–41	80–83	80–83	B–
38–39	75–79	75–79	C+
35–37	70–74	70–74	C
33–34	65–69	65–69	C–
30–32	60–64	60–64	D+
28–29	55–59	55–59	D
25–27	50–54	50–54	D–
0–24	0–49	0–49	F

Nombre ________________________________

Fecha ________________________________

PRUEBA

I. COMPRENSIÓN ORAL

¡Lista! Martín wants Rosa to help him buy some school supplies. Listen to their conversation and check the items you hear them mention. Then listen a second time to verify your answers. *(2 ea. / 10 pts.)*

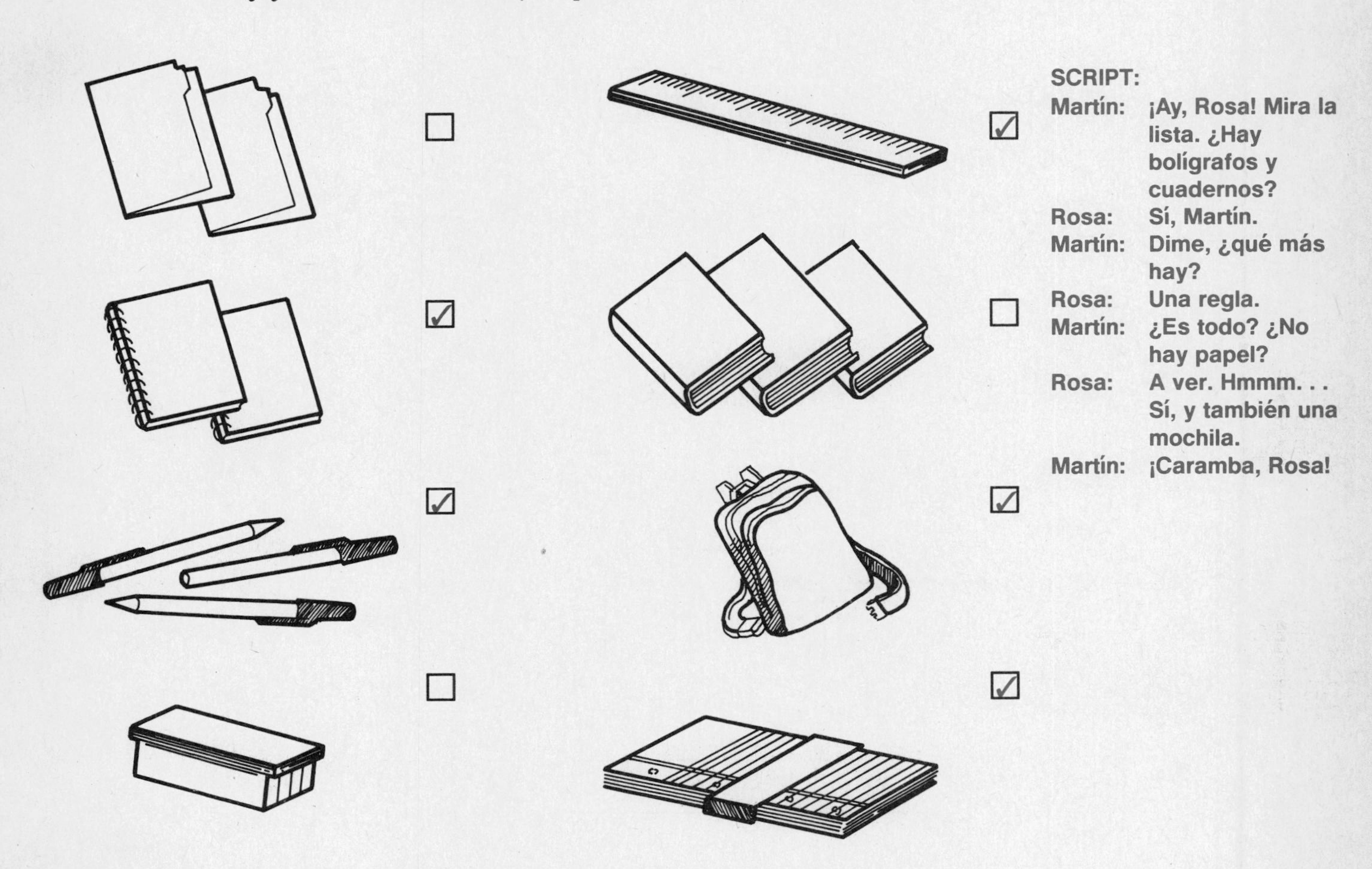

SCRIPT:

Martín: ¡Ay, Rosa! Mira la lista. ¿Hay bolígrafos y cuadernos?
Rosa: Sí, Martín.
Martín: Dime, ¿qué más hay?
Rosa: Una regla.
Martín: ¿Es todo? ¿No hay papel?
Rosa: A ver. Hmmm. . . Sí, y también una mochila.
Martín: ¡Caramba, Rosa!

II. LENGUA EN CONTEXTO

En la librería. Linda's father is helping her buy school supplies. Complete the conversation by circling the word that best fits each blank. *(3 ea. / 15 pts.)*

Papá:	¿Qué hay en __1__ lista?	**1.** ella	(la)	un
Linda:	Hay un __2__ y papel.	**2.** (lápiz)	silla	escritorio
Papá:	¿Hay __3__ cuaderno?	**3.** una	la	(un)
Linda:	No, no __4__ cuaderno,	**4.** (hay)	en	el
	pero hay una __5__.	**5.** libro	pizarra	(carpeta)

Nombre ______________________________

Fecha ______________________________

III. LECTURA Y CULTURA

Palabras afines. Write the English equivalent of five of the following cognates. *(2 ea. / 10 pts.)*

nación nation

autor author

universo universe

tomate tomato

composición composition

poeta poet

IV. ESCRITURA

Mi clase. You are writing to your friend in Puerto Rico and want to show him or her how much you have already learned in your Spanish class. Write a brief description of your Spanish classroom at school. Mention furnishings and school supplies. Say whether there are any people there now. *(15 pts.)*

Answers will vary. Sample answer:

Hay una pizarra. Hay un escritorio. Hay un libro en el escritorio. No hay una carpeta en el escritorio. Hay pupitres. Hay estudiantes en la clase.

Nombre ______________________

Fecha ______________________

¡DIME! UNO — UNIDAD 1 LECCIÓN 1

PRUEBA

I. COMPRENSIÓN ORAL

Saludos y despedidas. On a typical day at school you hear people greeting each other and saying good-bye. Check **saludo** if you hear a greeting and **despedida** if you hear a good-bye. Then listen a second time to verify your answers. *(1 ea. / 10 pts.)*

	saludo	*despedida*	SCRIPT:
1.	☑	☐	1. Hola. ¿Qué tal?
2.	☐	☑	2. Hasta luego.
3.	☑	☐	3. Buenos días, señora Alba. ¿Cómo está usted?
4.	☐	☑	4. Adiós, chica.
5.	☐	☑	5. Buenas noches. Hasta mañana.
6.	☑	☐	6. Buenas tardes, David. ¿Cómo estás?
7.	☑	☐	7. ¡Señor Ramos! ¿Cómo está usted?
8.	☐	☑	8. Adiós, profesora. Hasta luego.
9.	☑	☐	9. Hola, María. ¿Cómo estás?
10.	☐	☑	10. Hasta mañana, Carlos.

Nombre ______________________________

Fecha ______________________________

II. LENGUA EN CONTEXTO

A **El primer día.** Write the letter of the sentence in the right column that best responds to each question or statement in the left column. *(1 ea. / 5 pts.)*

c 1. ¿Eres Pedro Blanco?	**a.**	Bien, gracias, ¿y tú?
a 2. ¿Cómo estás?	**b.**	Es el director de la escuela.
d 3. Hasta mañana, Sara.	**c.**	No, soy José Moreno.
b 4. ¿Quién es él?	**ch.**	Y yo soy el profesor de español.
ch 5. Soy la profesora de historia.	**d.**	Hasta luego, Marta.

B **Presentaciones.** Complete the following conversation by underlining the correct subject pronoun for each verb. *(1 ea. / 5 pts.)*

Marcos: (Él / Yo) soy Marcos Peña. ¿Y (usted / tú)?

Sr. López: (Yo / Usted) soy el señor López, el director de la escuela.

¿Eres (yo / tú) el nuevo estudiante?

Marcos: Sí.

Sr. López: ¿Y (ella / él)? ¿Quién es?

Marcos: Es mi amiga, Linda.

C **¿Quién es?** The new principal is trying to locate Fernanda Ruiz. Complete the conversation with the appropriate forms of **ser**. *(1 ea. / 5 pts.)*

Director: Usted ___es___ la profesora de español, ¿no?

Profesora: Sí, me llamo Bárbara Pérez.

Director: ¿Quién ___es___ Fernanda Ruiz?

Profesora: ___Es___ ella. *(pointing at Fernanda)*

Director: ¿Tú ___eres___ Fernanda Ruiz?

Fernanda: Sí, ___soy___ yo.

Nombre ______________________________

Fecha ______________________________

PRUEBA

III. LECTURA Y CULTURA

A **Saludos.** How do you greet each of the following people? Select either **a** or **b** as the appropriate greeting for each person. *(1 ea. / 5 pts.)*

a. ¿Cómo estás? **b.** ¿Cómo está usted?

_a_ **1.** Juan, un amigo

_b_ **2.** la doctora Peña

_b_ **3.** el profesor de inglés

_a_ **4.** Ana, una amiga

_b_ **5.** la señorita Ortiz

B **¿El profesor?** Read the following conversation and statements. Then circle **C (Cierto)** if the statement is true or **F (Falso)** if the statement is false. *(1 ea. / 5 pts.)*

Rosa: Hola, Lisa, ¿qué tal?
Lisa: Bien, gracias, ¿y tú?
Rosa: Ay, no muy bien. Pero, ¿quién es ese chico? ¿Es nuevo?
Lisa: No es un estudiante, Rosa. Es el nuevo profesor de español.
Rosa: Ah, ¿sí? ¡Estupendo!
Lisa: Buenos días, profesor. ¿Cómo está? Ella es mi amiga, Rosa. Rosa, el profesor Blanco.
Sr. Blanco: ¿Cómo estás?
Rosa: Muy bien, gracias. Excelente.

C (F) **1.** Lisa isn't doing very well today.

C (F) **2.** There is a new student in the Spanish class.

(C) F **3.** Rosa and Lisa are already friends.

C (F) **4.** Mr. Blanco teaches English.

(C) F **5.** Rosa is glad to meet Mr. Blanco.

Nombre ______________________

Fecha ______________________

IV. ESCRITURA

Respuestas. During the day, the following people speak to you. How do you respond? *(5 ea. / 15 pts.)*

Answers will vary. Sample answers:

1. Profesor Gómez: Hola, ¿cómo estás?

   Tú: **Muy bien, gracias. (Muy bien, gracias. ¿Y usted?)**

2. Chica: Hola. Me llamo Cristina Martínez. Soy una nueva estudiante.

   Tú: **Hola, Cristina. Yo soy . . .**

3. Señora Pérez: Buenas noches. Hasta mañana.

   Tú: **Hasta luego. (Hasta mañana.) (Adiós.) (Buenas noches.)**

Nombre ___________________________

Fecha ___________________________

PRUEBA

I. COMPRENSIÓN ORAL

Las Américas. Listen as each exchange student introduces himself or herself and check **Sudamérica** or **No de Sudamérica** to identify the South American students. Then listen a second time to verify your answers. *(1 ea. / 10 pts.)*

	Sudamérica	*No de Sudamérica*
1.	☑	☐
2.	☐	☑
3.	☐	☑
4.	☑	☐
5.	☐	☑
6.	☑	☐
7.	☑	☐
8.	☐	☑
9.	☐	☑
10.	☑	☐

SCRIPT:

1. Yo me llamo Alicia Montes. ¿Qué tal? Soy de Colombia.
2. Buenos días. Me llamo Tomás Fuentes. Soy de Cuba.
3. Hola. Soy de Guatemala. Me llamo Raúl Espinoza.
4. Buenas tardes. Soy Febe Salinas. Soy de Uruguay.
5. Hola. Soy Martina Gómez y soy de Panamá.
6. Soy de Santiago de Chile. Mi nombre es Roberto Pérez.
7. ¿Cómo estás? Yo soy Chela Salas. Soy de Perú.
8. Buenas noches. Soy de San Juan en Puerto Rico. Mi nombre es Arturo Rendón.
9. Hola. Soy Emilio Soto. Soy de Costa Rica.
10. Saludos de Buenos Aires. Me llamo Esteban Luna.

II. LENGUA EN CONTEXTO

A **Una carta.** You are reading a letter in a pen pal magazine. Fill in the blanks with the appropriate form of the verb **ser** to find out what it says. *(1 ea. / 5 pts.)*

Hola. Mi nombre ___es___ Juan. Yo ___soy___ de Bolivia. Mi mamá ___es___ de Estados Unidos, de Virginia. Ella ___es___ profesora de inglés. Y tú, ¿de dónde ___eres___?

Nombre ______________________________

Fecha ______________________________

B **Bienvenido.** Professor Campos is introducing the new exchange student to a classmate. Complete the conversation by circling the word that best fits in each blank. *(1 ea. / 10 pts.)*

Profesor:	Buenos días, Diana. ¿__1__ estás?	**1.**	Qué	Dónde	**Cómo**
Diana:	Muy bien, gracias. ¿Y __2__?	**2.**	tú	**usted**	él
Profesor:	Bien, gracias. Quiero __3__ a Alfonso, un nuevo estudiante.	**3.**	**presentarte**	presentarme	presentarle
Diana:	Mucho __4__, Diana Díaz.	**4.**	bien	gracias	**gusto**
Alfonso:	Igualmente. Me __5__ Alfonso Dávila.	**5.**	nombre	**llamo**	soy
Diana:	¿De __6__ eres?	**6.**	quién	**dónde**	cómo
Alfonso:	De México. ¿Y __7__?	**7.**	**tú**	ella	usted
Diana:	Soy __8__ Uruguay.	**8.**	en	a	**de**
Alfonso:	¿De la __9__?	**9.**	escuela	república	**capital**
Diana:	__10__, de Montevideo.	**10.**	Mucho	**Sí**	Bien

III. LECTURA Y CULTURA

A **Países.** Help your friend with his or her geography lesson by completing the sentences with the appropriate country. *(1 ea. / 5 pts)*

1. La Paz es la capital de Bolivia.
2. Santiago es la capital de Chile.
3. Asunción es la capital de Paraguay.
4. Caracas es la capital de Venezuela.
5. Quito es la capital de Ecuador.

Nombre ______________________________

Fecha ______________________________

PRUEBA

B **Nuevos amigos.** The following Spanish-speaking exchange students will soon arrive at your school. Read the roster, and the statements. Then circle **C (Cierto)** if the statement is true or **F (Falso)** if the statement is false. *(1 ea. / 5 pts.)*

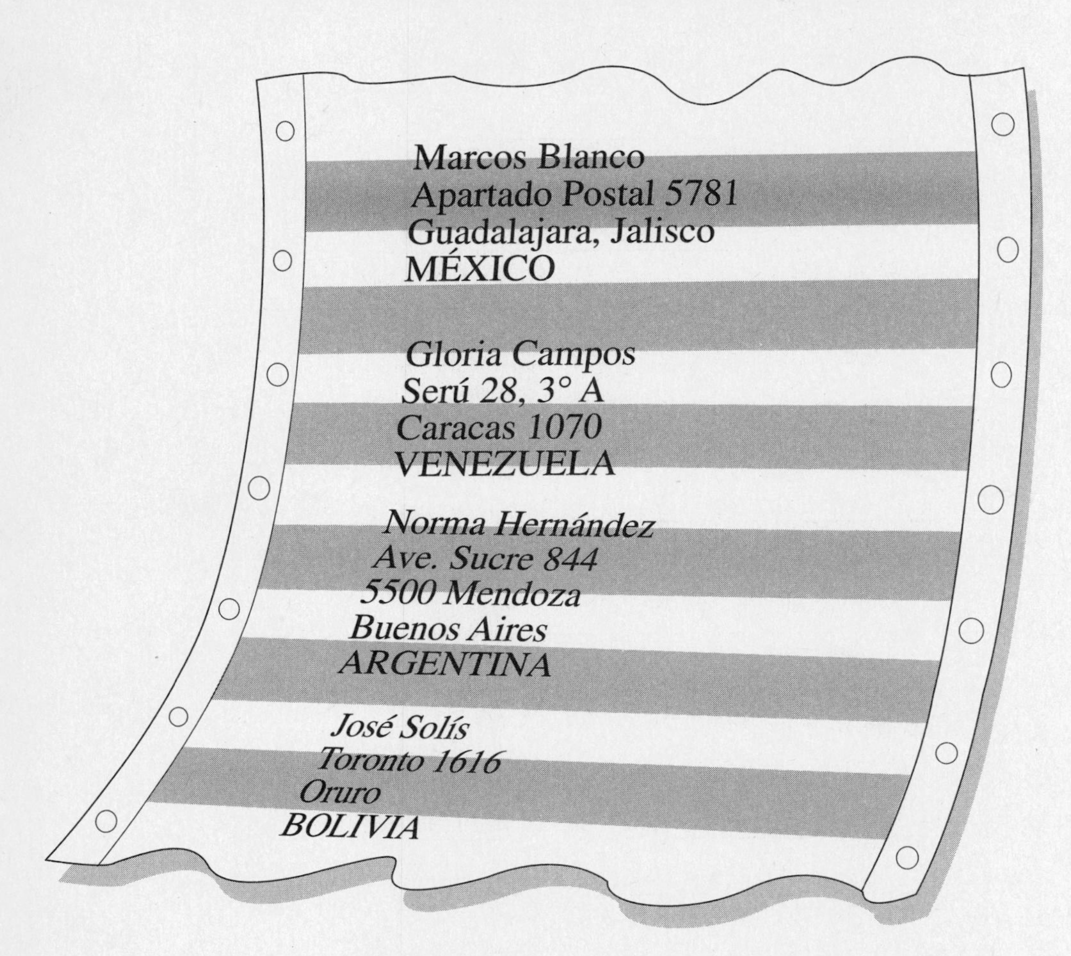
Marcos Blanco
Apartado Postal 5781
Guadalajara, Jalisco
MÉXICO

Gloria Campos
Serú 28, 3° A
Caracas 1070
VENEZUELA

Norma Hernández
Ave. Sucre 844
5500 Mendoza
Buenos Aires
ARGENTINA

José Solís
Toronto 1616
Oruro
BOLIVIA

(C) F **1.** Three students are from South America.

(C) F **2.** Two students are from South American capitals.

C (F) **3.** One student is from a Portuguese-speaking country.

C (F) **4.** The Bolivian student is from the capital of Bolivia.

(C) F **5.** All four students are *americanos.*

Nombre ______________________

Fecha ______________________

IV. ESCRITURA

Introduce the following people to the school principal and tell where they are from. All appropriate answers are acceptable. *(5 ea. / 15 pts.)*

Answers will vary. Sample answers:

1. yourself, [*your home town*]

Buenos días, señor director. Soy [. . .]. Soy de [. . .]. (Buenas tardes, señor [. . .]. Me llamo [. . .]. Soy el/la nuevo/nueva estudiante.)

2. Carlos López, Guatemala

Señor director, Carlos López. Es el nuevo estudiante de Guatemala. (Señor, quiero presentarle a Carlos López. Carlos es el nuevo estudiante. Es de Guatemala.)

Now introduce an exchange student from Mexico to your best friend.

3. Carlos Barrón, México

[Your best friend's name], **te presento a mi nuevo amigo, Carlos Barrón. Carlos es de México. ([. . .] quiero presentarte a mi nuevo amigo mexicano, Carlos Barrón.)**

Nombre ______________________________

Fecha ______________________________

I. COMPRENSIÓN ORAL

¡Teatro! The following students are trying out for the school play. The roles call for certain characteristics. Listen to the description of each role and tell whether it fits **Sara, Roberto, Rosa,** or **Ernesto.** Put a check mark in the correct box. Then listen a second time to verify your answers. *(1 ea. / 10 pts.)*

	Sara	*Roberto*	*Rosa*	*Ernesto*
1.	☐	☑	☐	☐
2.	☐	☐	☑	☐
3.	☐	☑	☐	☐
4.	☐	☐	☐	☑
5.	☐	☐	☑	☐
6.	☑	☐	☐	☐
7.	☐	☑	☐	☐
8.	☐	☐	☐	☑
9.	☐	☐	☑	☐
10.	☑	☐	☐	☐

SCRIPT:

1. Es grande y fuerte.
2. Es baja.
3. Es alto y moreno.
4. Es bajo y rubio.
5. Es gorda.
6. Es rubia.
7. Es atlético.
8. Es muy delgado.
9. Es morena.
10. Es alta y delgada.

Nombre ______________________________

Fecha ______________________________

II. LENGUA EN CONTEXTO

A **Hermanos.** Manuel has a twin sister, Manuela, who is just like him. Based on the following descriptions of Manuel, complete the descriptions of Manuela. *(5 ea. / 10 pts.)*

1. Manuel es alto, delgado y fuerte. También es guapo y cómico.

   Manuela es ___alta___, ___delgada___ y ___fuerte___. También es ___guapa___ y ___cómica___.

2. Manuel es pelirrojo. Y es inteligente y tímido. También es estudioso y popular.

   Manuela es ___pelirroja___. Y es ___inteligente___ y ___tímida___. También es ___estudiosa___ y ___popular___.

B **¡Amigas!** Luisa and Anita are good friends who are entirely different. Based on the description of Luisa, what is Anita like? *(1 ea. / 5 pts.)*

1. Luisa es delgada. Anita es ___gorda___.
2. Luisa es nerviosa. Anita es ___tranquila___.
3. Luisa es baja. Anita es ___alta___.
4. Luisa es rubia. Anita es ___morena___.
5. Luisa es desorganizada. Anita es ___organizada___.

Nombre ______________________________

Fecha ______________________________

¡DIME! UNO — UNIDAD 1 LECCIÓN 3

PRUEBA

III. LECTURA Y CULTURA

A **¡Vacaciones!** Read the following tour brochure. Then circle the letter of the phrase that best completes the statements that follow. *(1 ea. / 5 pts.)*

Para los niños:

- Parques enormes
- Zoológico con animales exóticos

¿Está usted aburrido?

Visite Montevideo para gozar de las vacaciones ideales

Para todos

- espectáculos de danzas folklóricas
- música popular y tradicional
- excursiones a Buenos Aires

Para recibir más información, llame al número 6 63 69 57 :

Agencia Viajes Ideales
Ave. Ponce de León, 32
San Juan, P.R.

Para los adultos:

- Museos, cines y teatros
- Gran variedad de actividades en Montevideo de noche

1. This is an advertisement for a trip to . . .

a. Puerto Rico. **(b.)** Uruguay. **c.** Ecuador. **ch.** Honduras.

2. One activity specifically mentioned for children is a visit to a . . .

(a.) zoo. **b.** theatre. **c.** museum. **ch.** cultural program.

3. For tourists interested in music, there are . . .

a. shows of popular music. **b.** performances of typical dances. **c.** shows of traditional music. **(ch.)** All of the above.

4. Buenos Aires is mentioned as . . .

a. an additional source of information. **b.** the point of departure for this tour. **(c.)** an optional tour. **ch.** None of the above.

5. To receive more information you may . . .

a. phone a travel agency in Buenos Aires.
b. go to your local travel agency.
(c.) contact a travel agency in Puerto Rico.
ch. write to a travel agency in Montevideo.

Nombre ______________________________

Fecha ______________________________

B **Palabras afines.** List ten cognates found in the brochure in exercise A. *(1/2 ea. / 5 pts.)*

1. ______________
2. ______________
3. ______________
4. ______________
5. ______________
6. ______________
7. ______________
8. ______________
9. ______________
10. ______________

Accept any 10 of the following cognates: Visite, vacaciones, ideales, parques, enormes, zoológico, animales, exóticos, adultos, museos, cines, teatros, variedad, actividades, espectáculos, danzas, folklóricas, música, popular, tradicional, excursiones, recibir, información, número, agencia.

IV. ESCRITURA

¡Es ideal! Think about the characteristics you admire in a teacher. Make a list of the five most important characteristics of an ideal teacher and then use them to write a short description. *(15 pts.)*

Answers will vary. Sample answers:

1. inteligente
2. organizado
3. interesante
4. simpático
5. generoso

El profesor ideal es muy inteligente. También es organizado y simpático. Es generoso con todos los estudiantes. Él es muy interesante en clase.

Nombre ______________________________

Fecha ______________________________

¡DIME! UNO — UNIDAD 1

EXAMEN

I. COMPRENSIÓN ORAL

A **Soy yo.** Read the statements and the possible answers before listening to Javier describe himself. Based on what you hear, circle the letter of the answer that best completes each statement. Then listen a second time to verify your answers. *(2 ea. / 10 pts.)*

1. Javier is from . . .

a. Santo Domingo　　(**b.**) Quito　　**c.** Santiago

2. He is tall and . . .

a. blond　　(**b.**) dark　　**c.** redheaded

3. He is probably . . .

(**a.**) athletic　　**b.** outgoing　　**c.** elegant

4. He is a little . . .

a. romantic　　**b.** disorganized　　(**c.**) shy

5. Javier says he is . . .

a. romantic　　(**b.**) nice　　**c.** interesting

SCRIPT:
Hola. Mi nombre es Javier Ortiz. Soy de Ecuador, de la capital. Soy alto y moreno. También soy fuerte y guapo pero un poco tímido. No soy muy inteligente pero soy estudioso. Ah, también soy simpático. Y tú, ¿cómo eres?

B **El nuevo profesor.** First, read the statements so that you know what information to listen for. Then listen to the conversation between Elena and Tina. You may not understand every word, but you should be able to understand enough to indicate whether the statements that follow are true or false. Circle **C (Cierto)** if the statement is true or **F (Falso)** if the statement is false. Listen a second time to verify your answers. *(2 ea. / 10 pts.)*

C　(F)　**1.** Tina isn't having a good day today.

(C)　F　**2.** The new teacher is good-looking.

C　(F)　**3.** Mr. Gómez teaches history.

C　(F)　**4.** He is short and blond.

(C)　F　**5.** This conversation takes place in the morning.

SCRIPT:

Elena: Hola, Tina. ¿Qué tal?
Tina: ¡Excelente! Mi nuevo profesor de español es muy guapo y divertido.
Elena: Ah, ¿sí? ¿Cómo se llama?
Tina: Es el señor Gómez. Es alto y moreno y . . .
Elena: Shh. ¡Es él!
Tina: ¡Ayy!. . .
Prof: Buenos días, Tina. ¿Quién es tu amiga?
Tina: Es Elena Martínez. Elena, quiero presentarte al profesor Gómez.
Elena: Mucho gusto, profesor.
Prof: Igualmente, Elena.

Nombre ______________________________

Fecha ______________________________

II. LENGUA EN CONTEXTO

A **¿Quién es?** Inés is introducing her friend Luisa to members of the Spanish Club. Complete the conversation by circling the word that best fits in the blank. *(1 ea. / 14 pts.)*

Inés:	Hola, Paco. ¿__1__ estás?	1.	Quién	Dónde	**Cómo**
Paco:	Bien. ¿Quién __2__ tu amiga?	2.	soy	**es**	eres
Inés:	Quiero __3__ a Luisa.	3.	**presentarte**	presentar	presentarle
Paco:	__4__. Soy Paco Fuentes.	4.	**Encantado**	Gracias	Gusto
	¿De __5__ eres?	5.	quién	**dónde**	cómo
Luisa:	Mucho gusto. Soy __6__ Argentina. ¿Y tú?	6.	**de**	en	la
Paco:	__7__ de Honduras.	7.	**Soy**	Es	Eres
Inés:	Buenas tardes, profesor. ¿Cómo está __8__?	8.	tú	él	**usted**
Profesor:	__9__. ¿Y tú?	9.	Encantado	Gracias	**Bien**
Inés:	Bien, __10__. Profesor, quiero presentarle	10.	**gracias**	usted	mucho
	a mi __11__ amiga, Luisa.	11.	**nueva**	nuevo	guapo
Profesor:	__12__ gusto, Luisa. Perdón, pero ya es	12.	Muy	Bien	**Mucho**
	tarde. Hasta __13__.	13.	tarde	**luego**	placer
Luisa:	El __14__ es mío. Y, ¡adiós!	14.	encantado	**gusto**	nombre

B **Los señores contrarios.** Mr. and Mrs. Álvarez have similar personalities but are very different physically. Look at their pictures and complete the two sentences below pointing out all their physical differences. *(6 ea. / 12 pts.)*

Answers may vary slightly.

1. El señor Álvarez es alto, gordo (grande) y rubio.
____
____

2. La señora Álvarez es baja, morena y delgada.
____
____

El señor Álvarez

La señora Álvarez

Nombre ______________________

Fecha ______________________

¡DIME! UNO **UNIDAD 1**

EXAMEN

C **¡Saludos!** Susana is greeting her new pen pal. What does she say? Fill in the blanks with the appropriate form of the verb **ser** to find out. *(1 ea. / 4 pts.)*

¡Hola! Mi nombre ___es___ Susana Romo. ___Soy___ de Toledo, Ohio. ___Soy___ alta y cómica. Y tú, ¿cómo ___eres___?

III. LECTURA Y CULTURA

¡Vacaciones! Read the following letter and statements. Then circle **C (Cierto)** if the statement is true or **F (Falso)** if the statement is false. *(2 ea. / 20 pts).*

Querido señor Quiroga:

Saludos de Venezuela. ¿Cómo está usted? Yo, ¡estupendo!

Caracas es una ciudad muy bonita. Es enorme y moderna. Hay muchas actividades interesantes para los chicos. Por ejemplo, hay muchos cines, teatros y conciertos de música popular. También hay muchas chicas bonitas, como mi nueva amiga Marisol. Ella es alta, delgada y morena. También es simpática y muy bonita.

Hasta luego.

Su amigo,
Miguel Chávez

C (F) **1.** This letter is written to a person who is younger than Miguel Chávez.

(C) F **2.** Miguel is in the capital city of Venezuela.

C (F) **3.** The city is a medium-sized city.

C (F) **4.** Miguel hasn't found many things to do.

C (F) **5.** Miguel says he went to a musical concert.

C (F) **6.** Miguel is lonely and anxious to return home.

(C) F **7.** Miguel met a brunette on his trip.

C (F) **8.** Marisol is Miguel's new teacher.

(C) F **9.** Marisol is very attractive and nice.

C (F) **10.** Miguel and Mr. Quiroga have just met in Venezuela.

Nombre ______________________

Fecha ______________________

IV. ESCRITURA

A **Mi nueva escuela.** You have moved to a new school. Write a postcard to a friend in your old school describing a new friend you have met. Begin by saying **Mi nuevo(a) amigo(a) es . . .** and mention at least five characteristics of your new friend. *(15 pts.)*

Answers will vary. Sample answer:

Querido (a) Miguel,

¡Hola, Miguel! ¿Cómo estás?

Montebello H.S. es muy interesante. Mi nueva amiga, Enriqueta, es muy simpática. Ella es alta y delgada y muy inteligente. Es muy atlética también. Y, sí, es muy bonita. Hasta luego.

Tu amigo,

Héctor

B **De Sudamérica.** Introduce your new Peruvian friend Isabel to the following people and tell which country she is from. Remember that you have to introduce her differently to teachers than you do to friends and family. *(5 ea. / 15 pts.)*

Answers will vary. Sample answers are given below.

1. your best friend

   Jason, quiero presentarte a mi nueva amiga Isabel. Isabel es de Perú. (Jason, mi amiga Isabel. Es de Perú.)

2. your Spanish teacher

   Señora Chávez, quiero presentarle a Isabel, la nueva estudiante de Perú. (Profesor, Isabel, la nueva estudiante de Perú.)

3. a family member

   Mamá, quiero presentarte a mi amiga Isabel. Isabel es de Perú. (Mamá, mi nueva amiga de Perú, Isabel.)

Nombre ______________________________

Fecha ______________________________

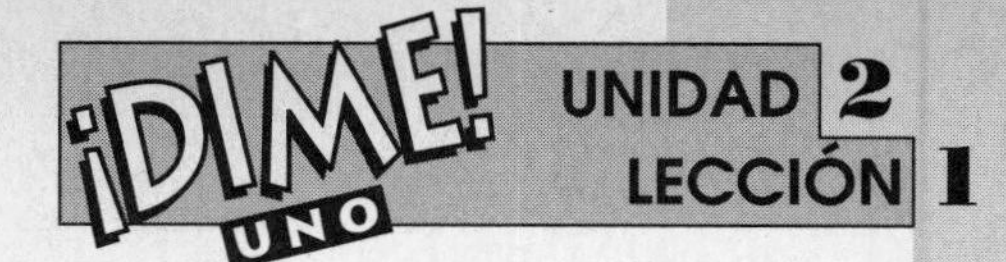

PRUEBA

I. COMPRENSIÓN ORAL

La hora exacta. The battery in your watch is weak and you must verify the time several times a day. On the digital watches below, write the time you hear when you call the time service. Then listen a second time to verify your answers. *(2 ea. / 10 pts.)*

SCRIPT:

1. 8:00 — Buenos días. Son las ocho.

2. 10:30 — Buenos días. Son las diez y media.

3. 1:15 — Buenas tardes. Es la una y cuarto.

4. 2:55 — Buenas tardes. Son las tres menos cinco.

5. 

Buenas noches. Son las seis y veintisiete.

Nombre ______________________

Fecha ______________________

II. LENGUA EN CONTEXTO

A **En la escuela.** Eva and Luis are talking at school. What do they say? Complete the conversation by circling the words that best fit in the blanks. *(1 ea. / 9 pts.)*

1.	Eva:	Perdón, Luis. ¿ __1__ hora es?	**1.**	(Qué)	Cómo	Quién
2.	Luis:	__2__ nueve menos cuarto.	**2.**	A las	(Son las)	Son
3.	Eva:	¡Caramba! __3__ clase de computación en cinco minutos.	**3.**	Tiene	Tienes	(Tengo)
4.	Luis:	¿Con __4__ señor Robledo?	**4.**	(el)	la	los
5.	Eva:	Sí. ¿Tú __5__ clase con él también?	**5.**	tengo	tiene	(tienes)
6.	Luis:	Sí, pero mi clase es __6__ la tarde.	**6.**	(por)	de	a
7.	Eva:	¿ __7__ qué hora?	**7.**	Por	Son	(A)
8.	Luis:	__8__ una y media. Hay examen hoy, ¿no?	**8.**	Son la	(A la)	A las
9.	Eva:	No, es __9__ jueves.	**9.**	(el)	la	los

B **Teléfono.** You have been asked to give the following phone numbers to a new Spanish-speaking exchange student. In order not to make a mistake, you decide to write them out first. Write the missing numbers. *(3 ea. / 6 pts.)*

1. 318-30-10

tres ______ dieciocho ______ treinta ______ diez ______

2. 926-15-04

nueve ______ veintiséis ______ quince ______ cero cuatro ______

Nombre ______________________________

Fecha ______________________________

PRUEBA

III. LECTURA Y CULTURA

Horario. You have just moved to Puerto Rico and this is your class schedule. Read the schedule and the statements that follow. Circle **C (Cierto)** if the statement is true or **F (Falso)** if the statement is false. *(1 ea. / 10 pts.)*

Horario de clases

Hora	Materia	Días	Profesor	Sala
8:00	Ciencias naturales	l m m j v	Sra.Ortiz	laboratorio
9:00	Música	l m v	Srta.Ponce	15
	Arte	m j	Sr.Castro	27
10:00	Español	l m v	Sra.Santos	21
11:00	Inglés	l m v	Sr.Miller	7
	Drama	m j	Srta.Nieves	teatro
12:00	Educación física	l m m j v	Sra.Valdez	gimnasio
1:00	Almuerzo			
2:00	Historia	l m m j v	Sra.Ortega	32
3:00	Álgebra	l m m	Sr.Roca	30

C (F) **1.** Tienes ocho clases por la mañana.

(C) F **2.** La clase de arte es en la sala veintisiete.

(C) F **3.** Tienes inglés tres días a la semana.

C (F) **4.** Tienes la clase de álgebra por la mañana.

C (F) **5.** La clase de drama es los miércoles y los jueves.

C (F) **6.** La señora Ortega es la profesora de arte.

(C) F **7.** Por la tarde tienes historia.

C (F) **8.** Los miércoles a las nueve tienes arte.

C (F) **9.** Tienes clases los sábados.

(C) F **10.** Los martes a las tres tienes álgebra.

Nombre ______________________________

Fecha ______________________________

IV. ESCRITURA

Bienvenidos. Tonight is Open House at your school and you must write a note describing your schedule for your parent(s) to follow. Be sure to include the names of all your classes, the times they meet, and the room number and the teacher for each class. (Write all information in sentences rather than in schedule form.) *(15 pts.)*

Notes will vary. Sample note:

A las ocho y media tengo matemáticas con el señor Galindo en la sala 23. A las nueve y veinticinco tengo geografía con la profesora Blount en la sala 15. A las diez y veinte tengo educación física en el gimnasio con la señorita Wilson. A las once y cuarto tengo inglés con el señor McCauley en la sala 9B. Tengo almuerzo a las doce y diez en la cafetería. A la una tengo español con el profesor Lugano en la sala 16. A las dos menos cinco tengo ciencias con la señora Gray en el laboratorio.

Nombre ______________________________

Fecha ______________________________

PRUEBA

I. COMPRENSIÓN ORAL

Muy ocupados. You are visiting your cousin's school in Puerto Rico. Can you tell who is being talked about by what is said? Listen to each statement. Then, write the letter of the scene that is being described in the blank. Listen a second time to verify your answers. *(1 ea. / 10 pts.)*

SCRIPT:

1. <u>D</u> 1. Somos cinco profesores de la escuela San Luis Obispo.
2. <u>A</u> 2. Es mi amiga Elena. Es rubia y bonita.
3. <u>B</u> 3. Somos Pablo y Raúl. Somos muy estudiosos. Las ciencias son muy divertidas.
4. <u>C</u> 4. Estamos en el patio. Es muy divertido.
5. <u>CH</u> 5. Es la una de la tarde. Es la hora del almuerzo.
6. <u>C</u> 6. Son mis amigas Susana y Rita. Susana es alta y Rita es baja.
7. <u>CH</u> 7. Hay muchos estudiantes en la cafetería.
8. <u>D</u> 8. Estamos en la oficina de la escuela con la directora.
9. <u>B</u> 9. Él es mi amigo Raúl. Es muy alto, ¿no?
10. <u>A</u> 10. Ella es muy inteligente. Siempre está en la biblioteca.

Nombre ______________________

Fecha ______________________

II. LENGUA EN CONTEXTO

A **¿Nuevos?** Pablo, a Spanish student is getting to know two new teachers. To find out what they say, fill in the blanks with the appropriate subject pronouns. *(1 ea. / 5 pts.)*

Profesor: Buenos días, chico. ¿Cómo te llamas?

Pablo: Pablo Gómez. ¿Y ___ustedes___? ¿Son nuevos?

Profesor: Sí, ___nosotros___ somos de Nicaragua.

Pablo: ¿Son ___ustedes___ profesores de español?

Profesor: No, Pablo. ___yo___ soy profesor de matemáticas y ___ella___ es profesora de latín.

B **Fotos.** Several people missed the yearbook photo and the photographer needs to find them. Help out by telling where they are fifth period. *(1 ea. / 5 pts.)*

1. Berta y Clara ___están___ en la clase de música.
2. Tú ___estás___ en la biblioteca.
3. Yo ___estoy___ en el laboratorio de ciencias.
4. La profesora de arte ___está___ en la sala 24.
5. Paula y yo ___estamos___ en la oficina.

C **Los profesores.** The teachers at Las Palmas High are very similar. Based on the description of the men, what are the women like? *(1 ea. / 5 pts.)*

Los profesores son <u>exigentes</u>, <u>organizados</u> y <u>simpáticos</u>. También son <u>inteligentes</u> y <u>populares</u>.

Las profesoras son ___exigentes___, ___organizadas___ y ___simpáticas___. También son ___inteligentes___ y ___populares___.

Nombre ______________________________

Fecha ______________________________

III. LECTURA Y CULTURA

Anuncio. Read the following brochure and then the statements that follow. Underline the word or phrase that most accurately completes each statement. *(2 ea. / 10 pts.)*

Colegio San Ignacio

- **Cursos básicos**
  matemáticas, español, ciencias, historia, francés, inglés
- **Cursos especializados y tecnológicos**
  electrónica, fotografía, mecánica, carpintería, artes plásticas
- **Clases preparatorias para la universidad**
  literatura, cálculo, biología, astronomía, química, geografía, bellas artes, sociología, psicología
- **Clases individualizadas en computación**

Horario de clases: de 8 a 5:30

Para información y reservaciones

Prof. E. Benítez, Director
Reyes Infantes, 30D
tel. 738 36 79

1. This brochure is advertising a *secondary school* / *college* program.
2. The program is *limited* / *not limited* to academic courses.
3. Classes are offered in the *day* / *day and evening.*
4. *Basic* / *Basic and advanced* courses in science are offered.
5. The school offers *two* / *three* foreign languages.

Nombre ______________________

Fecha ______________________

IV. ESCRITURA

Una escuela excelente. Your cousin Alicia is moving to your town and you would like her to attend your school. Write a letter describing three to five characteristics of your school and the students there. Also include three to five characteristics of the rival school and its students. *(15 pts.)*

Letters will vary. Sample letter:

Querida Alicia,

Mi colegio es excelente. Todos los profesores son muy buenos. Son exigentes, pero son divertidos. Los estudiantes de [*name of school*] son estupendos. Yo tengo muchos amigos. Son muy simpáticos. Mi amigo Daniel es muy cómico. Teresa es muy tímida y Luis es muy fuerte. El colegio [*name of school*] no es muy bueno. Los profesores son aburridos y difíciles. Las clases son fatales. Los estudiantes no son muy interesantes. Son antipáticos. Mi colegio es ideal.

Nombre ______________________________

Fecha ______________________________

PRUEBA

I. COMPRENSIÓN ORAL

El fin de semana. Listen to Nora describe her plans for the weekend. In each blank, write the letter of the drawing that best illustrates the statements you hear. Then listen a second time to verify your answers. *(2 ea. / 10 pts.)*

SCRIPT:

1. B — 1. El viernes por la noche voy a salir con mis amigos.
2. D — 2. Voy a hablar por teléfono con mis amigas.
3. A — 3. Tengo que limpiar la casa el sábado por la mañana.
4. C — 4. Voy a alquilar un video el sábado por la noche.
5. CH — 5. El domingo por la tarde voy a leer un libro interesante.

Nombre ______________________

Fecha ______________________

II. LENGUA EN CONTEXTO

A **Mis amigos y yo.** Raúl is talking about himself and his friends. Which of the statements on the right logically follow the statements on the left? Write the appropriate letter in the blank. *(1 ea. / 5 pts.)*

ch 1. Tengo el examen de historia en una hora.

d 2. Tenemos práctica de fútbol.

a 3. Voy a salir con un amigo.

b 4. Mis amigos van a comer en mi casa.

c 5. La profesora tiene mucho trabajo.

a. Vamos a comer en un café.

b. Tengo que hacer la comida.

c. Tiene que calificar exámenes.

ch. Tengo que estudiar.

d. ¿Vas a jugar tú?

B **¡Qué lástima!** Everybody is so busy that they can't do the things they would really like to do. What do they say? Fill in the blanks with the correct form of **ir** or **tener**, as appropriate. *(1 ea. / 10 pts.)*

1. Yo no voy a salir con mis amigos porque tengo que limpiar la casa.
2. La señora Delgado no va a ver televisión porque tiene que calificar exámenes.
3. Nosotros tenemos que estudiar. No vamos a pasear en bicicleta.
4. Enrique y Martina no van a comer en el restaurante porque tienen que practicar karate.
5. Tú no vas a jugar fútbol porque tienes que trabajar.

Nombre ______________________________

Fecha ______________________________

¡DIME! UNO UNIDAD 2 LECCIÓN 3

PRUEBA

III. LECTURA Y CULTURA

¡Qué interesante! Read this interview with a teenage rock star and then circle the letter of the phrase that best completes each statement. *(2 ea. / 10 pts.)*

Reportera: ¡Qué gusto hablar contigo, Roque!
Roque: Igualmente, Teresa. Es un placer "hablar" con tus lectores.
Reportera: Eres muy famoso y popular. Todos los chicos ven tus videos y tienen mucha curiosidad acerca de tu vida. ¿Me permites hacer algunas preguntas personales?
Roque: Sí, claro.
Reportera: Bueno. ¿Cuáles son tus pasatiempos favoritos?
Roque: A ver . . . leer novelas románticas, coleccionar estampillas, ver televisión, escuchar música y practicar deportes . . .
Reportera: ¿Cuál es tu deporte favorito?
Roque: El fútbol, por supuesto. Voy a jugar esta tarde.
Reportera: ¿Sales mucho con tus amigos?
Roque: Sí, me encanta salir con muchos amigos y amigas.

1. In the interview, Roque . . .
a. is shy.
b. refuses to answer personal questions.
(c.) is happy to share information about his life.

2. According to the interviewer, Roque . . .
(a.) is popular among young audiences.
b. is a popular movie star.
c. likes to watch music videos.

3. Roque's favorite pastimes include . . .
a. writing music.
(b.) reading.
c. playing the guitar.

4. With regard to sports, Roque . . .
(a.) plays soccer.
b. watches football on TV.
c. doesn't participate much.

5. When Roque goes out, he prefers to go with . . .
a. one special friend.
b. a small, intimate group.
(c.) lots of people.

Nombre ______________________________

Fecha ______________________________

IV. ESCRITURA

¡Imposible! You and your best friend have been asked to babysit on Saturday. Both of you have previous commitments and are not able to do so. In order to explain why you can't babysit, complete this note telling at least five things the two of you have to do. *(15 pts.)*

Notes will vary. Sample note:

El sábado mi amigo(a) y yo **tenemos que estudiar para un examen. El lunes tenemos un examen muy difícil en la clase de inglés. También tenemos que hacer mucha tarea para la clase de español. Yo tengo que leer un libro para mi clase de historia y mi amigo tiene que limpiar su cuarto.**

Nombre ______________________________

Fecha ______________________________

EXAMEN

I. COMPRENSIÓN ORAL

A **¿Aló?** You are the first one to play the messages on the answering machine at home. There are two messages for your mother. Leave notes for her (in English, if necessary) based on the messages you hear. Indicate who called, the time of day, where the callers are, and when they plan to be home. Then listen to the messages a second time to verify your answers. *(5 ea. / 10 pts.)*

Recados ☎

Nombre Ricardo

Hora 3:30

Recado escuela, 7:00 (He's at school for soccer practice. Will be home at 7:00.)

SCRIPT:
Buenas tardes, mamá. Soy Ricardo. Estoy en la escuela. Son las tres y media. Tengo práctica de fútbol hoy. Voy a estar en casa a las siete. Hasta luego.

Recados ☎

Nombre Tina

Hora 5:00

Recado gimnasio, 6:00 (She's at the gym. She'll be home at 6:00.)

SCRIPT:
Hola, mamá. Soy Tina. Son las cinco. Estoy en el gimnasio. Voy a correr un poco más. Voy a estar en casa a las seis. Adiós.

Nombre ______________________________

Fecha ______________________________

B **Muy activos.** You overhear several people discussing their plans for this evening and tomorrow. In each blank, write the letter of the drawing that best illustrates the statements you hear. Then listen a second time to verify your answers. *(1 ea. / 10 pts.)*

A

B

C

CH

SCRIPT:

1. C — 1. Vamos a ver televisión esta noche. Nuestro programa favorito es a las nueve.

2. B — 2. Estamos en la biblioteca. Todas tenemos que leer muchos libros.

3. A — 3. Muchas personas van a comer en el restaurante hoy.

4. CH — 4. Por la tarde, vamos a pasear en bicicleta.

5. C — 5. Voy a leer un libro esta noche.

6. A — 6. Tengo que limpiar las mesas. ¡Qué trabajo!

7. CH — 7. Hay práctica de fútbol esta tarde. Mis amigos van a jugar.

8. B — 8. Tenemos que estudiar mucho. Hay examen en inglés.

9. CH — 9. El ejercicio es bueno. Vamos a correr por la mañana.

10. A — 10. Es un día muy especial. No vamos a comer en casa hoy.

Nombre ______________________________

Fecha ______________________________

II. LENGUA EN CONTEXTO

A **¿Qué hora es?** Now that you have a new watch, you gladly tell everyone what time it is. What do you say? *(1 ea. / 5 pts)*

1. **Son las nueve y diez.**

2. **Son las doce menos cinco.**

3. **Es la una y media.**

4. **Son las cuatro y cuarto. / Son las cuatro y quince.**

5. **Son las siete menos veinte.**

Nombre ______________________________

Fecha ______________________________

B **Esta tarde.** Pablo and Marisa are talking about their plans for the afternoon. To find out what they say, complete their conversation with the correct form of **estar**, **ir**, **ser**, or **tener**. *(2 ea. / 20 pts.)*

Pablo: Hola, Marisa. ¿Cómo ___estás___?

Marisa: Bien, gracias, ¿y tú?

Pablo: Excelente. Mis amigos y yo ___vamos___ a pasear en bicicleta esta tarde. Y tú, ¿___tienes___ planes?

Marisa: Hay mucha tarea para la clase de historia. ___Tengo___ que estudiar.

Pablo: ¿No ___vas___ a salir?

Marisa: Sí, a las dos Elena y yo ___vamos___ a alquilar un video. Por la mañana ella ___tiene___ que limpiar la casa.

Pablo: ¡Caramba! ¡Su casa ___es___ muy grande!

Marisa: Es cierto.

Pablo: ¿Qué película ___van___ a ver ustedes?

Marisa: La nueva película de Raúl Gutiérrez.

Pablo: Todas sus películas ___son___ muy buenas.

Marisa: Sí. Pues hasta luego, Pablo.

Pablo: Adiós, Marisa.

C **¿Qué vas a hacer?** Susana and Roberto are talking about their weekend plans. To find out what they say, fill in the blanks with the appropriate words. *(1 ea. / 5 pts.)*

Susana: ¿Vas a ver ___la___ película "El terminador" en la tele ___el___ viernes?

Roberto: ¿___A___ qué hora?

Susana: A las 7:30 ___de___ la noche.

Roberto: ¡Qué lástima! Tengo ___que___ ir a mi clase de karate.

Nombre ______________________________

Fecha ______________________________

III. LECTURA Y CULTURA

Nuevos amigos. Read the following advertisements for pen pals. Then answer the questions by checking all appropriate boxes. Note that there may be more than one correct answer to any given question. *(2 ea. / 20 pts.)*

Nombre: Gustavo Rojas
Dirección: Calle 17 #45
Río Piedras, 00658
Puerto Rico
Edad: 14 años
Materias favoritas: inglés y ciencias
Pasatiempos: pasear en bicicleta, escribir poemas, jugar fútbol

Nombre: Claudia Cabrera
Dirección: Avenida F, 8 – 3
Oruro, Bolivia
Edad: 17 años
Materias favoritas: literatura, computación y matemáticas
Pasatiempos: escuchar música, jugar tenis, ver videos musicales

Nombre: Carolina Peña
Dirección: Cinco de mayo, 17
México, D.F., México
Edad: 15 años
Materias favoritas: dibujo, química y geografía
Pasatiempos: coleccionar monedas de diferentes países, dibujar, escuchar música

Nombre: Noé Pastor
Dirección: Felipe II #19 dcha
Valladolid, España
Edad: 16 años
Materias favoritas: gimnasia e historia
Pasatiempos: ver televisión, leer novelas, correr

	Gustavo	*Carolina*	*Claudia*	*Noé*
1. Who is the oldest pen pal?	☐	☐	☑	☐
2. Who is interested in science?	☑	☑	☐	☐
3. Who lives in South America?	☐	☐	☑	☐
4. Who lives in a capital city?	☐	☑	☐	☐
5. Who enjoys outdoor activities?	☑	☐	☑	☑
6. Who likes to collect coins?	☐	☑	☐	☐
7. Who likes music?	☐	☑	☑	☐
8. Who likes to write poetry?	☑	☐	☐	☐
9. Who likes to read?	☐	☐	☐	☑
10. Which pen pals are *americanos*?	☑	☑	☑	☐

Nombre ________________________________

Fecha ________________________________

IV. ESCRITURA

A **Nosotros.** You and your best friend are very much alike. Write a short paragraph describing both of you. Mention at least five similarities including some characteristics that both of you possess or do not possess. Also indicate what classes you have together. *(15 pts.)*

Paragraphs will vary. Sample paragraph:

Mi amigo(a) y yo somos altos y guapos. También somos inteligentes y simpáticos. No somos tímidos. Somos muy divertidos. Somos de *[name of place]*. Tenemos español a las 8:00. Tenemos que estudiar mucho. Somos muy estudiosos.

B **Una invitación.** Alberto has invited you to play tennis any time next week, but you are already busy every single day. Write him a note and tell him your plans for each day. Include activities you are going to do because you want to and some that you have to do. *(15 pts.)*

Notes will vary. Sample note:

No es posible jugar tenis la semana próxima porque **el lunes voy a pasear en bicicleta con José. El martes tengo que estudiar para un examen de español. El miércoles tengo que escribir una composición. El jueves tengo que limpiar mi cuarto. El viernes, mi familia y yo vamos a alquilar un video y el sábado tengo que trabajar. El domingo tengo que hacer la tarea.**

Nombre ______________________________

Fecha ______________________________

¡DIME! UNO UNIDAD 3 LECCIÓN 1

PRUEBA

I. COMPRENSIÓN ORAL

En oferta. Before listening to the following radio commercial, read the statements below to get an idea of what information you will need. Then listen to the commercial and circle **C (Cierto)** if the statement is true or **F (Falso)** if the statement is false. Listen a second time to verify your answers.
(1 ea. / 10 pts.)

C (F) **1.** This advertisement is for the grand opening of a new store.

(C) F **2.** This advertisement is aimed at both young people and adults.

(C) F **3.** There are many bargains available at *Satélite.*

C (F) **4.** *Satélite* serves a select group of people.

(C) F **5.** The special prices last throughout the weekend.

C (F) **6.** Records of classical music are on sale.

C (F) **7.** The advertisement mentions excellent bookstores.

C (F) **8.** The movie theater is showing a children's film.

C (F) **9.** The movie theater also sponsors shows of favorite entertainers.

(C) F **10.** It is possible to eat and shop in *Satélite.*

SCRIPT:
¡Todo el mundo va de compras hoy a Satélite! ¿Por qué? Porque en Satélite hay algo para todos. Esta semana hay grandes ofertas de jueves a domingo en todas nuestras tiendas. Para los chicos hay una gran variedad de tiendas de música. Y empezando hoy, ¡todos los discos de sus artistas favoritos están en oferta! Para los adultos hay una película fabulosa en Cine Satélite. Además este centro comercial ofrece excelentes restaurantes y . . . mucho, mucho más. ¡Todo el mundo va de compras a Satélite—el centro comercial favorito de todo México!

Nombre ______________________________

Fecha ______________________________

II. LENGUA EN CONTEXTO

A **Una visita.** Sarita and her cousin Jaime are talking on the phone. What do they say? Complete the conversation by circling the word that best fits in each blank. *(1 ea. / 5 pts.)*

Sarita: ¿Te gustaría visitar mi ciudad?

Jaime: Sí __1__ encantaría.
No __2__ mucho que hacer aquí.

Sarita: Pues aquí, sí. Yo voy
__3__ cine mucho.
Y hay __4__ películas muy buenas ahora.

Jaime: Bueno, voy __5__ hablar con mi mamá.

1. (me) te le
2. (hay) es está
3. a a la (al)
4. las (unas) unos
5. al (a) que

B **¿Y tú?** You want to find out if the new Cuban student at your school likes the following things. Write out the questions you would ask. *(2 ea. / 10 pts.)*

1. novelas románticas
   ¿Te gustan las novelas románticas?
2. fútbol
   ¿Te gusta el fútbol?
3. ir de compras
   ¿Te gusta ir de compras?
4. películas musicales
   ¿Te gustan las películas musicales?
5. grupo "Menudo"
   ¿Te gusta el grupo "Menudo"?

Nombre ______________________________

Fecha ______________________________

¡DIME! UNO **UNIDAD 3 LECCIÓN 1**

PRUEBA

III. LECTURA Y CULTURA

La Ciudad de México. You have just received your itinerary for an upcoming trip to Mexico City. Read it and then circle the letter of the phrase that best completes each statement. *(2 ea. / 10 pts.)*

Agencia de Viajes Altamira
México D. F.: Itinerario

jueves: 10,00 Ir al hotel/orientación
Tarde libre para ir de compras
5,30 Tour de la ciudad (Zócalo, Torre Latinoamericana)

viernes: 8,15 Excursión a la Basílica de Guadalupe
1,30 Almuerzo (incluido)
4,00 Excursión a las pirámides
8,00 Representación de teatro

sábado: 8,00 Excursión al Bosque de Chapultepec
11,00 Tour del Museo de Antropología
2,00 Tarde libre (parque o Zona Rosa)
7,30 Fiesta de despedida en el hotel

domingo: 8,45 Ballet Folklórico (Palacio de Bellas Artes)
4,00 Ir al aeropuerto y regresar a casa

1. On the first day of your visit you . . .
a. have a party in the hotel.
(b.) get acquainted with the city.
c. go the the theater.

2. Time is provided for shopping on . . .
(a.) Thursday.
b. Friday.
c. Sunday.

3. Lunch is provided . . .
(a.) before a trip to the pyramids.
b. before a tour of the city.
c. in the Museum of Anthropology.

4. Lunch is scheduled . . .
a. early for Mexico.
(b.) at the usual time for Mexico.
c. late for Mexico.

5. A farewell party will be held . . .
a. in the park.
(b.) Saturday evening.
c. Sunday afternoon.

Nombre ______________________

Fecha ______________________

IV. ESCRITURA

Preferencias. The school newspaper is going to do a feature article on a typical student's likes and dislikes and they have asked you to be the focus of the article. Write a paragraph stating at least three things you like and three things you dislike. *(15 pts.)*

Answers will vary. Sample answer:

Me gustan mucho los sábados. Me gusta pasear en bicicleta. Me encanta ir de compras. No me gustan los exámenes. No me gusta estudiar. Me gusta la clase de español pero no me gusta hacer la tarea.

Nombre ____________________

Fecha ____________________

¡DIME! UNO

UNIDAD 3
LECCIÓN 2

PRUEBA

I. COMPRENSIÓN ORAL

El tiempo. As you turn the dial on your short-wave radio, you hear excerpts from weather reports in various countries. Listen to the excerpts and decide which drawing most closely depicts the weather being described. In each blank, write the letter of the drawing that best illustrates the statements you hear. Then listen a second time to verify your answers. *(1 ea. / 10 pts.)*

SCRIPT:

1. C — 1. Está lloviendo en el norte de la ciudad.
2. CH — 2. Va a hacer mucho calor toda la semana.
3. C — 3. Es otro día típico. Va a llover todo el día.
4. A — 4. Hoy va a hacer mucho viento por la mañana.
5. B — 5. Hace mucho frío aquí en la capital.
6. CH — 6. Hace buen tiempo pero hace mucho calor.
7. A — 7. Es otro día típico. Hace fresco y no hace sol.
8. B — 8. Hace muy mal tiempo. Está nevando.
9. CH — 9. Hace sol y calor. Es ideal para ir al parque.
10. C — 10. Está lloviendo pero no hace mucho frío.

Nombre ____________________

Fecha ____________________

II. LENGUA EN CONTEXTO

A **En el parque de diversiones.** You overhear one side of a conversation. Which statement on the right logically follows each remark on the left? *(1 ea. / 5 pts.)*

c 1. ¿Te gusta el parque de diversiones?

e 2. ¿Te gustaría tomar un helado?

d 3. Hace viento hoy.

a 4. ¿Qué hace ese chico?

b 5. ¿Pasa tu mamá mucho tiempo en el parque?

a. Sube a la montaña rusa.

b. Sí, para ella es un lugar ideal para descansar.

c. Sí, me encanta subir a los carros chocones.

ch. Miro a la gente.

d. Sí, pero no hace frío.

e. Sí, gracias, hace mucho calor.

B **Entrevista.** Pedro Solís is interviewing a girl in Chapultepec Park. To find out what they say, fill in the blanks with the appropriate form of the verb in parentheses. *(1 ea. / 10 pts.)*

Pedro: Hola. Mi nombre es Pedro Solís. ¿Cómo te llamas *(llamar)* tú?

Luci: Soy *(Ser)* Luci Ordóñez.

Pedro: Encantado, Luci. ¿Pasas *(Pasar)* mucho tiempo en el parque?

Luci: Sí, señor. Yo paso *(pasar)* todos los domingos aquí con mi mamá.

Pedro: ¿Qué haces *(hacer)* tú por aquí?

Luci: Subo *(Subir)* a las lanchas, visito *(visitar)* el zoológico y tomo *(tomar)* muchos helados.

Pedro: ¿Y tu mamá?

Luci: Ah, ella siempre lee *(leer)* el periódico y escribe *(escribir)* cartas.

Nombre ______________________________

Fecha ______________________________

UNIDAD 3
LECCIÓN 2

PRUEBA

III. LECTURA Y CULTURA

Anuncio. Read the following announcement and then underline the word or phrase that most accurately completes each statement. *(1 ea. / 10 pts.)*

LA SECRETARIA DE CULTURA INVITA A LOS NIÑOS, JÓVENES Y ADULTOS A

UNA FIESTA INTERNACIONAL

en el
Bosque de Chapultepec
(junto al zoológico)

domingo
25 de julio
de las once de la mañana a las once de la noche

- Arte
- Comidas típicas
- Refrescos gratuitos
- Juegos y canciones infantiles
- Música con artistas internacionales
- Bailes tradicionales de varias naciones
- Danzas folklóricas de todas las regiones nacionales

ENTRADA: $5.000 adultos
niños gratis

(C) F **1.** Este evento es para toda la familia.
C (F) **2.** Es en invierno.
(C) F **3.** Es durante el fin de semana.
(C) F **4.** Es en la capital de México.
C (F) **5.** No hay actividades durante la tarde.
(C) F **6.** Los participantes van a comer y beber.
(C) F **7.** Hay actividades culturales.
C (F) **8.** Hay dramatizaciones internacionales.
(C) F **9.** El festival incluye música de otros países.
C (F) **10.** No hay actividades para los niños.

Nombre ______________________

Fecha ______________________

IV. ESCRITURA

Mis sábados. Write a letter to your pen pal telling what you do on a typical Saturday. Be sure to include morning, afternoon and evening activities. *(15 pts.)*

Querido(a) Daniela,

Los sábados por la mañana limpio mi cuarto y escucho música. Por la tarde me gusta ir de compras. Compro muchas cosas. También voy al cine con mis amigos. Por la noche como con mi familia y veo televisión.

Nombre ____________________

Fecha ____________________

PRUEBA

I. COMPRENSIÓN ORAL

Turistas. Read the statements and the possible answers before you listen to Horacio Martínez interview some tourists. Then listen to the interview and circle the letter of the word or phrase that best completes each statement. Listen a second time to verify your answers. *(2 ea. / 10 pts.)*

1. Los Morales son . . .

(**a.**) sudamericanos.

b. centroamericanos.

c. norteamericanos.

2. Los turistas son de . . .

a. México.

(**b.**) Lima.

c. Guatemala.

3. A los Morales les gusta pasar sus vacaciones en . . .

(**a.**) México.

b. Perú.

c. muchos países.

4. Durante sus vacaciones, los Morales . . .

a. visitan el zoológico.

b. van a conciertos en el parque.

(**c.**) comen al aire libre.

5. Las actividades favoritas de los Morales incluyen . . .

(**a.**) ir de compras.

b. leer libros.

c. ver películas.

SCRIPT:

Horacio: Buenas tardes, señores oyentes. Aquí con Radio Capital estamos en la Zona Rosa entrevistando a los señores Julio y Rosa Morales. Julio, ¿de dónde son ustedes?

Julio: Somos de Perú, Horacio, de la capital.

Horacio: Rosa, ¿le gusta México?

Rosa: Sí, me encanta. Julio y yo siempre pasamos las vacaciones aquí.

Julio: Es verdad. Nunca vamos a otros países.

Horacio: ¿Qué hacen en la ciudad?

Julio: Siempre visitamos los museos y caminamos por las calles. Tomamos refrescos o comemos al aire libre.

Rosa: También vamos de compras aquí en los excelentes centros comerciales o en la Zona Rosa.

Nombre ______________________________

Fecha ______________________________

II. LENGUA EN CONTEXTO

A **Mis amigos y yo.** You have just received a letter from your pen pal. To find out what it says, fill in each blank with the appropriate form of the verb in parentheses. *(1 ea. / 5 pts.)*

Querido(a) amigo(a),

Gracias por tu carta. Mis amigos y yo también ___salimos___ *(salir)* mucho durante los fines de semana. ___Vemos___ *(Ver)* muchas películas y vamos a fiestas. Mis amigos ___bailan___ *(bailar)* muy bien. Y nosotros siempre ___comemos___ *(comer)* mucha pizza. ¡Nos encanta! ¿Y ustedes? ¿Qué ___comen___ *(comer)* en las fiestas?

Escríbeme pronto.

Un abrazo de

Paloma

B **¡Otro viernes!** Why does Diego, a teenage boy, not like to go out on Friday nights? To answer, complete his conversation with his mother with the appropriate words from the list below. *(2 ea. / 10 pts.)*

algo **alguien** **nada** **nadie** **nunca** **siempre**

Mamá: ¿Qué vas a hacer esta noche, ___algo___ interesante?

Diego: No, no voy a hacer ___nada___.

Mamá: ¿No vas a salir con tus amigos?

Diego: No, ___nadie___ está aquí este fin de semana.

Mamá: ¡Caramba! ___Siempre___ pasas los viernes en casa.

¿Por qué no sales ___nunca___?

Diego: Porque me gusta estar en casa. Mi programa favorito de televisión es los viernes.

Nombre ____________________

Fecha ____________________

PRUEBA

III. LECTURA Y CULTURA

¡Club de música! Read the following advertisement and then circle the letter of the word or phrase that best completes the statement. *(2 ea. / 10 pts.)*

¡Discos compactos y casetes!
Artistas de todo el mundo hispánico

Éxitos favoritos	**Baladas/Pop**	**Tropical**
Ana Gabriel *Quién como tú*	Rafael *Andaluz*	Grupo Niche *Cielo de tambores*
José José *25 aniversario*	Paloma San Basilio *Nadie como tú*	Ángel Javier *En cada lugar*
Gloria Estefan *Éxitos de Gloria*	José Luis Perales *A mis amigos*	Jerry Rivera *Abriendo puertas*
Ana Gabriel *En vivo*	José José *En las buenas y en las malas*	G. Santa Rosa *Punto de vista*

Discos compactos: $14.99 (dólares)
Casete: 8.99
Con tu compra recibe nuestro catálogo gratis

Oferta
¡Compra cuatro y recibe uno gratis!

Llama gratis al 1–800–555–CLUB
de las ocho de la mañana a las seis de la tarde
lunes a viernes

1. The artist who has music in two categories is . . .
- **(a.)** José José.
- **b.** Ana Gabriel.
- **c.** none of the artists.

2. The artist who dedicates an album to friends is . . .
- **a.** Gloria Estefan.
- **(b.)** José Luis Perales.
- **c.** Jerry Rivera.

3. You may receive a free gift by . . .
- **a.** buying a disc.
- **b.** buying a cassette.
- **(c.)** buying 4 of either.

4. You can receive a free catalog by . . .
- **(a.)** buying something.
- **b.** calling the organization.
- **c.** writing for information.

5. The Club may be reached . . .
- **a.** 24 hours a day.
- **b.** during the evening hours.
- **(c.)** 5 days a week during business hours.

Nombre ____________________

Fecha ____________________

IV. ESCRITURA

¡Las vacaciones! You have received an invitation to spend part of your vacation with a friend in another city. Write a note explaining that you can't because your family always does things together during vacations. Be sure to describe at least five of the activities your family participates in. *(15 pts.)*

Querido(a) ____________________,

Gracias por la invitación, pero durante las vacaciones mi familia y yo siempre

hacemos muchas cosas juntos. Vamos al parque de diversiones. Corremos y paseamos en bicicleta. Comemos en restaurantes al aire libre. Comemos pizza y bebemos refrescos. Visitamos el parque zoológico. Visitamos museos. También tomamos helados.

Nombre ______________________________

Fecha ______________________________

¡DIME! UNO — UNIDAD 3

EXAMEN

I. COMPRENSIÓN ORAL

A **¡Pasatiempos!** Before listening to the following radio program, read the statements and the possible answers to get an idea of what information you will need. Then listen to the program and circle the letter of the word or phrase that best completes each statement. Listen a second time to verify your answers. *(2 ea. / 10 pts.)*

1. This program is . . .
a. a call-in show.
b. a documentary.
(c.) a game show.

2. The host is talking to . . .
a. a group of young people.
(b.) a married couple.
c. some tourists from the US.

3. Ramón prefers . . .
a. outdoor activities.
(b.) indoor activities.
c. both types of activities.

4. Anita likes to . . .
(a.) run.
b. read.
c. watch TV.

5. On weekends Ramón and Anita . . .
a. play tennis together.
(b.) eat out a lot.
c. stay at home.

SCRIPT:

Locutor: Buenas tardes, radioyentes. Bienvenidos a su programa favorito "Pasatiempos". Antes de jugar, vamos a hablar con los señores Peralta acerca de sus actividades favoritas. Ramón, ¿qué hacen ustedes en su tiempo libre?

Ramón: Pues, a mí me gusta leer y descansar y ver televisión, pero Anita es más activa.

Locutor: ¿Ah sí? Anita, ¿qué haces?

Anita: Bueno, corro todos los días y me gusta jugar tenis con mis amigas.

Locutor: Y, ¿ustedes no salen juntos?

Ramón: Claro. Los fines de semana vamos de compras, comemos en todos los buenos restaurantes y bailamos en las discotecas.

Locutor: ¡Qué interesante! Pues, vamos a jugar.

B **¿Va a hacer frío?** Before listening to the following weather report, read the statements to get an idea of what information you will need. Then listen to the report and circle **C (Cierto)** if the statement is true or **F (Falso)** if it is false. Listen a second time to verify your answers. *(2 ea. / 10 pts.)*

(C) F **1.** At the time of the weather report, the weather is good.
C (F) **2.** In the afternoon it is going to rain.
C (F) **3.** By nighttime, it will be snowing.
(C) F **4.** The next morning it will be cool.
C (F) **5.** Rain is forecast for the entire day.

SCRIPT:
Esta mañana hace muy buen tiempo. Hace mucho sol y no hace ni frío ni calor. Es una mañana ideal para caminar en el parque. Por la tarde va a hacer viento y por la noche va a llover. Mañana por la mañana va a hacer fresco pero no va a llover en todo el día.

Nombre ______________________________

Fecha ______________________________

II. LENGUA EN CONTEXTO

A **¿Qué opinas?** How much do you like the following things? State your opinion, using either **gustar** or **encantar**. *(2 ea. / 8 pts.)*.

Answers will vary. Sample answers:

1. la pizza

Me gusta la pizza.

2. los fines de semana

Me encantan los fines de semana.

3. jugar fútbol

No me gusta jugar fútbol.

4. los exámenes

No me gustan los exámenes.

B **En el parque.** Pedro Solís is interviewing a little girl on Sunday afternoon in the park. To find out what they say, complete their conversation with the correct form of the appropriate verb: **escribir, escuchar, hacer, leer, mirar,** or **subir**. *(2 ea. / 12 pts.)*

Pedro: Hola, niña. ¿Cómo te llamas?

Clarita: Me llamo Clarita.

Pedro: Pues, Clarita, ¿qué **haces** tú en el parque?

Clarita: Muchas cosas. **Subo** a las lanchas en el lago. Y mi hermano y yo **miramos** los animales en el zoológico.

Pedro: ¿Y tus papás?

Clarita: Ah, ellos **leen** el periódico o **escuchan** la radio. A mi mamá le gusta **escribir** cartas.

Nombre ____________________

Fecha ____________________

UNIDAD 3

EXAMEN

C **¿Qué hacemos?** Olga and Maité are trying to decide what to do today. To find out what they say, complete the dialogue by circling the letter of the word that best completes each sentence. *(1 ea. / 10 pts.)*

Olga:	¿Qué __1__ gustaría hacer hoy?	1. me	te	le
Maité:	¿Por qué no vamos __2__ cine?	2. a	a la	al
	__3__ una buena película en el Cine Chapultepec.	3. Hay	Es	Hace
Olga:	¿Otra vez? __4__ vemos películas.	4. Nunca	A veces	Siempre
	__5__ buen tiempo hoy.	5. Hay	Está	Hace
	¿Por qué no nos __6__ en el parque?	6. paseamos	paseo	pasean
Maité:	Está bien. Y luego vamos a tomar __7__ refrescos al café París.	7. a los	unos	las
Olga:	¡Qué aburrido! __8__ va allí.	8. Nada	Nadie	Alguien
Maité:	Ay, Olga. __9__ te gusta hacer cosas divertidas.	9. Nada	Nadie	Nunca
Olga:	Vamos a llamar a Roberto y Carlos.			
Maité:	¿__10__? Buena idea.	10. Ellos	Ellas	Ustedes

III. LECTURA Y CULTURA

A **¿Quién habla?** According to what you have learned in this unit, who would be most likely to make the following statements, a teenager from Mexico, one from the United States or both? Circle the country of the teenager who would most likely say this, or circle both countries, if appropriate. *(1 ea. / 6 pts.)*

México	EE.UU.	1. Voy de compras a las tres de la tarde.
México	EE.UU.	2. Me gusta escuchar música rock.
México	EE.UU.	3. Paso los domingos en el parque con mi familia.
México	EE.UU.	4. A las dos voy a casa para comer.
México	EE.UU.	5. Me gusta comer comida chatarra en McDonald's.
México	EE.UU.	6. Mis amigos y yo salimos a pasear en mi coche.

Nombre ______________________________

Fecha ______________________________

B **¿Qué vamos a ver?** Scan the following television program information and then circle the letter of the best completion for each statement. *(2 ea. / 14 pts.)*

TELEMIRANDO

HORA	CANAL	PROGRAMA
7:00	2	**¿QUIÉN JUEGA HOY?** Toda la información sobre los deportes durante el día.
	10	**PASEANDO POR EL PARQUE.** La vida y la naturaleza.
	13	**EL MEJOR SONIDO DEL MUNDO**. La música de los grandes maestros, concierto para todos.
8:00	2	**ESTO Y LO OTRO.** Noticias, comentarios. Lo que pasa en la nación y en el mundo.
	4	**JUGUETEANDO.** Juegos, concursos, música para los pequeños.
	10	**NECESITO MÁS DINERO PARA COMPRAR.** La inflación para todos: qué es y cómo combatirla.
9:00	2	**EL HOMBRE QUE MARAVILLÓ AL MUNDO.** Un gran campeón: Kareem Abdul Jabbar.
	4	**LOS MEJORES DE LA SEMANA.** Solistas, orquestas y grupos de música popular.
	13	**NUESTRAS RAÍCES:** Latinoamérica, la tierra del futuro. Noticias, comentarios e imágenes. Documental.
10:00	2	**LOS MEJORES EN LAS MAYORES.** Los resultados del béisbol y sus mejores jugadores.
	4	**BRASIL.** El país con la selva más grande del mundo. Imágenes de la naturaleza.
	10	**MUSIJUGANDO:** Música para niños.
11:00	2	**EL CAMPEONATO QUE VIENE.** El próximo mundial de fútbol.
	4	**NOTICIAS.** Lo que pasó en la semana y el pronóstico del tiempo local.
	10	**LAS MEJORES VOCES DE HOY, DE DE AYER Y DE SIEMPRE.** Los mejores cantantes populares.

1. If you want to know the local weather forecast, you will watch . . .

- **a.** Esto y lo otro.
- **b.** Noticias.
- **c.** Los mejores de la semana.
- **ch.** Paseando por el parque.

2. Children's programs are shown on channels . . .

- **a.** 2 and 4.
- **b.** 10 and 13.
- **c.** 4 and 10.
- **ch.** 2 and 13.

3. Music lovers will probably not find programs of interest on channel . . .

- **a.** 2.
- **b.** 4.
- **c.** 10.
- **ch.** 13.

4. The channels with news programs are . . .

- **a.** 2 and 13.
- **b.** 4 and 10.
- **c.** 10 and 13.
- **ch.** 2 and 4.

5. To find out more about finances you will want to watch . . .

- **a.** El mejor sonido del mundo.
- **b.** Necesito más dinero para comprar.
- **c.** Esto y lo otro.
- **ch.** Nuestras raíces.

6. The longest program this morning is . . .

- **a.** a children's show.
- **b.** a football game.
- **c.** a music concert.
- **ch.** a documentary about Latin America.

7. The channel with the most sports programming is . . .

- **a.** 2.
- **b.** 4.
- **c.** 10.
- **ch.** 13.

Nombre ____________________

Fecha ____________________

IV. ESCRITURA

A **¿Qué tiempo hace?** You are in charge of giving the weather report for the school radio station. Using the icons, write the report that you will read when you go on the air. *(10 pts.)*

hoy

hoy

hoy

Hoy hace mucho frío. No hace sol.

Hace viento y está lloviendo. Hace muy mal tiempo.

Nombre ______________________

Fecha ______________________

B **Las estaciones.** Write a letter to your pen pal describing what you and your friends do during your free time in each of the four seasons. *(20 pts.)*

Querido(a) Carlitos,

Mis amigos y yo hacemos muchas cosas. En verano paseamos en bicicleta y compramos helados. En otoño vamos al parque y visitamos el jardín zoológico. En invierno vemos televisión y alquilamos películas. En primavera leemos y corremos. Todos los días escuchamos música y bailamos.

Nombre ______________________

Fecha ______________________

¡DIME! UNO — UNIDAD 4 LECCIÓN 1

PRUEBA

I. COMPRENSIÓN ORAL

¡Una fiesta! Before listening to the dialog between Teresa and her cousin Arturo, read the statements to get an idea of what information you will need. Then listen to the dialog and circle the letter of the word or phrase that best completes each statement. Listen a second time to verify your answers. *(2 ea. / 10 pts.)*

See script below.

1. Teresa y Arturo son . . .
- **a.** hermanos.
- **(b.)** primos.
- **c.** amigos.
- **ch.** novios.

2. Ésta es una fiesta de . . .
- **a.** bodas.
- **b.** día del santo.
- **(c.)** cumpleaños.
- **ch.** aniversario.

3. Entre los invitados están . . .
- **a.** los hermanos de Arturo.
- **b.** los primos de Arturo.
- **c.** un amigo de Arturo.
- **(ch.)** a, b y c.

4. En la fiesta los hermanos de Arturo van a . . .
- **a.** bailar.
- **b.** jugar fútbol.
- **c.** romper una piñata.
- **(ch.)** tocar la guitarra y cantar.

5. Teresa está interesada en . . .
- **(a.)** Felipe, el amigo de Arturo.
- **b.** el hermano de Arturo.
- **c.** bailar con Arturo.
- **ch.** a, b y c.

II. LENGUA EN CONTEXTO

A **Parientes.** Huguito, a 6 year-old boy, describes the members of his family. Complete his description with the correct word. *(1 ea. / 4 pts.)*

La hermana de mi mamá se llama Dolores. Ella es mi ___tía___ favorita. Y yo soy su ___sobrino___ favorito también. Dolores tiene dos hijos. Ellos son mis ___primos___. Los padres de mis padres son mis ___abuelos___.

SCRIPT:

Teresa: Aquí estamos en la casa de mi primo, Arturo. Hoy cumple dieciséis años y está muy contento. Toda la familia está aquí—sus abuelos, sus tíos, sus hermanos y yo, su prima favorita, Teresa Núñez, para servirles. Arturo, ven acá. Dime, ¿qué vamos a hacer en la fiesta?

Arturo: Vamos a comer y tomar refrescos. Mi hermano va a tocar la guitarra y mi hermana va a cantar.

Teresa: ¿Y la piñata?

Arturo: Caramba, Teresa. Ya soy muy grande para romper piñatas.

Teresa: Ah, Arturo, ¿quién es ese chico alto que está allí?

Arturo: ¿Él? Es mi amigo Felipe. ¿Te presento?

Teresa: ¡Ay, sí! ¡Es muy guapo!

Nombre ____________________

Fecha ____________________

B **Contribuciones.** Several generous people are going to contribute money to the Spanish Club. Write out the numbers that they would write in their checks. *(2 ea. / 6 pts.)*

1. Norma Delgado: $55.

Banco Nacional

____________ de 19 ______

Páguese a la orden de Club de español $ 55.00

cincuenta y cinco Dólares

Memo ____________ Norma Delgado

Firma

2. Dolores Soto: $70.

Banco Nacional

____________ de 19 ______

Páguese a la orden de Club de español $ 70.00

setenta Dólares

Memo ____________ Dolores Soto

Firma

3. Arturo Solís: $100.

Banco Nacional

____________ de 19 ______

Páguese a la orden de Club de español $ 100.00

cien Dólares

Memo ____________ Arturo Solís

Firma

Nombre ______________________________

Fecha ______________________________

C **Un día especial.** Read Lisa's letter to her friend Ernesto and select the appropriate expressions to complete it. *(1 ea. / 5 pts.)*

Querido Ernesto,
Mañana es el __1__. Vamos a celebrar el
cumpleaños de __2__ profesor de español.
Él va a __3__ veintisiete años. Vamos a
invitar a __4__ esposa a la clase. Todos
__5__ compañeros de clase van a venir.
¿Te gustaría venir también?
Un abrazo de Lisa

1.	noviembre 8	(8 de noviembre)	
2.	nuestros	nosotros	(nuestro)
3.	(cumplir)	ser	estar
4.	(su)	tus	sus
5.	mi	(mis)	tu

III. LECTURA Y CULTURA

Una invitación. Read the following invitation and statements. Then circle **C (Cierto)** if the statement is true or **F (Falso)** if the statement is false. *(2 ea. / 10 pts.)*

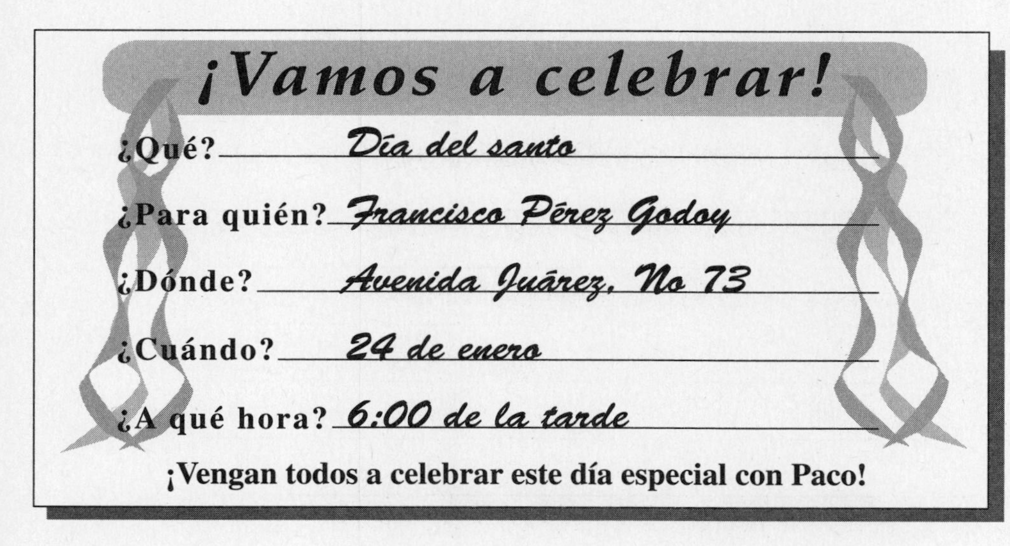
¡Vamos a celebrar!

¿Qué? *Día del santo*

¿Para quién? *Francisco Pérez Godoy*

¿Dónde? *Avenida Juárez, No 73*

¿Cuándo? *24 de enero*

¿A qué hora? *6:00 de la tarde*

¡Vengan todos a celebrar este día especial con Paco!

C (F) **1.** Francisco va a celebrar su cumpleaños.

(C) F **2.** El apellido de la madre de Francisco es Godoy.

(C) F **3.** La fiesta es el primer mes del año.

C (F) **4.** La celebración es todo el día.

(C) F **5.** Paco es el sobrenombre de Francisco.

Nombre ____________________

Fecha ____________________

IV. ESCRITURA

¡Una visita! Rogelio is a Bolivian exchange student who is coming to live with your family. Write him a letter telling about yourself and other members of your family. Be sure to include names and ages. Begin the letter with today's date. *(15 pts.)*

____

Querido Rogelio,

Letters will vary. Sample letter:

Mi nombre es Guillermo. Tengo catorce años. Tengo dos hermanas. Mi hermana Catalina tiene dieciséis años y mi hermana Tomasita tiene doce. Son muy cómicas. Mi mamá tiene treinta y seis años y mi papá tiene cuarenta. Vivimos en una ciudad grande. Mi papá trabaja en un restaurante. Mis abuelos viven con nosotros. Son muy simpáticos. ¿Cómo es tu familia?

Tu amigo,

Guillermo

Nombre ______________________________

Fecha ______________________________

¡DIME! UNO UNIDAD 4 LECCIÓN 2

PRUEBA

I. COMPRENSIÓN ORAL

Empleos. Read the statements. Then listen to the radio announcement and circle **C (Cierto)** if the statement is true or **F (Falso)** if the statement is false. Listen a second time to verify your answers. *(1 ea. / 10 pts.)*

(C) F **1.** Este anuncio es para personas que quieren trabajar.

C (F) **2.** Los músicos van a tocar para una boda.

C (F) **3.** Los músicos van a tocar música clásica.

(C) F **4.** El secretario va a trabajar para un abogado.

(C) F **5.** El periódico quiere tres reporteros nuevos.

C (F) **6.** Los reporteros van a escribir artículos sobre teatro y música.

C (F) **7.** Los dependientes de "Música mundial" van a trabajar en la sección de instrumentos musicales.

C (F) **8.** Los dependientes tienen que saber mucho de la música popular.

(C) F **9.** El número para más información es el 555–8992.

C (F) **10.** Personas interesadas tienen que llamar durante la mañana.

SCRIPT:

Y ahora, anuncios de empleos para los que quieren trabajar. Si estás interesado, anota el número del anuncio.

Anuncio número 27: Se solicitan músicos para una banda de rock, guitarrista y pianista con experiencia profesional para tocar en un club tres noches por semana.

Anuncio número 28: Un abogado quiere secretario con experiencia en correspondencia legal. Debe saber taquigrafía.

Anuncio número 29: «El Diario» quiere tres reporteros , uno para deportes y dos para noticias políticas. Es una gran oportunidad.

Anuncio número 30 : «Música mundial» solicita dependientes para la sección de discos clásicos. Prefieren a personas con experiencia y conocimiento de música clásica.

Para más información acerca de estos empleos, llame al 555–8992 entre las 8:00 de la mañana y las 5:00 de la tarde y refiérase al anuncio por número.

Nombre ____________________

Fecha ____________________

II. LENGUA EN CONTEXTO

A **Mi escuela.** Indicate if you know or don't know these people and places at your school. Use the correct form of **conocer**. *(1 ea. / 5 pts.)*

Answers will vary. Sample answers:

1. No conozco al ____________ director.
2. Conozco la ____________ biblioteca.
3. Conozco el ____________ gimnasio.
4. No conozco a la ____________ profesora de historia.
5. Conozco a la ____________ secretaria.

B **En el café**. What's going on at the Café Italia? To find out, complete the conversation with the correct form of the verbs **venir** or **querer**. *(2 ea. / 10 pts.)*

Jorge: ¡Hola, Estela! ¿Cómo estás?

Estela: Bien, gracias. ¿Y tú? ¿ Vienes aquí mucho?

Jorge: Sí, yo vengo todos los días. ¿ Quieres tomar algo?

Estela: Sí, una limonada, por favor.

Camarero: Buenas tardes. ¿Cómo están ustedes hoy? ¿Qué quieren tomar?

Jorge: Estamos muy bien, gracias. Queremos dos limonadas, por favor.

Nombre ______________________________

Fecha ______________________________

III. LECTURA Y CULTURA

Árbol genealógico. Examine the following family tree and then complete the statements. *(2 ea. / 10 pts.)*

1./2. El nombre completo de Laura es Laura ___Cano___ ___Torres___.

3. El padrastro de Berta se llama ___Claudio___.

4. En la guía telefónica, el nombre de Ángel está bajo el apellido ___Cano___.

5. La hermanastra de Clara es ___Berta___.

Nombre ______________________________

Fecha ______________________________

IV. ESCRITURA

Entrevista. You are going to meet someone who is in an interesting profession. Prepare some questions to use in your conversation. Use a minimum of five different question words. *(15 pts.)*

Answers will vary. Sample answers:

¿Dónde trabaja?

¿Qué hace usted en su trabajo?

¿A qué hora va usted al trabajo?

¿Cuántas horas trabaja?

¿Qué días trabaja usted?

¿Con quién trabaja?

¿Le gusta su trabajo?

¿Por qué le gusta su trabajo?

¿Es interesante su trabajo?

¿Tiene una oficina?

¿Cómo es su oficina?

Nombre ______________________

Fecha ______________________

PRUEBA

I. COMPRENSIÓN ORAL

Emociones. How are these people today? Listen to the descriptions. In each blank, write the letter of the drawing that best illustrates that description. Listen a second time to verify your answers. *(2 ea. / 10 pts.)*

SCRIPT:

1. D — 1. Pablo tiene mucho que hacer hoy. Está muy ocupado.

2. B — 2. Víctor tiene examen mañana y no está listo. Está muy nervioso.

3. CH — 3. Manuel no está contento. Está furioso porque no hay más helado.

4. A — 4. Pobrecito. Está triste. Está llorando.

5. C — 5. Carlos está contento porque sus abuelos vienen a visitar.

Nombre ______________________

Fecha ______________________

II. LENGUA EN CONTEXTO

A **¿Qué pasa?** Teresa is having a party at her house and her friend Raquel calls her on the phone. Complete their conversation with the present progressive form of the verb in parentheses. *(1 ea. / 10 pts.)*

Teresa: ¿No estás bien? ¡Qué lástima!

Raquel: Tienes razón. Y ustedes, ¿qué ___están___ (1) ___haciendo___ (2) *(hacer)*?

Teresa: ___Estamos___ (3) ___escuchando___ (4) *(escuchar)* música.

Raquel: ¿Y nadie ___está___ (5) ___bailando___ (6) *(bailar)*?

Teresa: No, pero Lilia y Donoso ___están___ (7) ___cantando___ (8) *(cantar)* con el disco.

Raquel: ¿Y tú?

Teresa: Pues, ___estoy___ (9) ___comiendo___ (10) *(comer)*.

B **Comentarios.** Everybody's talking at the wedding reception. Choose the statement from column B that best responds to each statement in column A. *(1 ea. / 5 pts.)*

A

_d_ **1.** La banda está tocando música romántica.

_e_ **2.** La madre de la novia está muy ocupada.

_c_ **3.** ¡Qué día más divertido!

_a_ **4.** No hay nada que hacer.

_b_ **5.** ¿Dónde están los novios?

B

a. ¡Qué aburridas son las bodas!

b. Están cortando el pastel.

c. Me encantan las bodas.

ch. Gracias, pero estoy cansada.

d. Sí, y los novios están bailando.

e. Tiene mucho que hacer el día de la boda.

Nombre ______________________________

Fecha ______________________________

III. LECTURA Y CULTURA

Diario. Read the following page from a diary. Then read the statements. Circle **C (Cierto)** if the statement is true or **F (Falso)** if it is false. *(1 ea. / 10 pts.)*

26 de noviembre, 1903
San Antonio, Texas

Querido diario,

Estoy tan emocionada. Mañana vienen mis primos de México para pasar el verano con nosotros. Son tan divertidos. Mi hermano está muy preocupado porque no habla español muy bien. Y mi mamá está nerviosa porque tiene que preparar mucha comida y limpiar la casa. Papá está un poco triste porque no viene su hermana. Sólo vienen sus sobrinos. Pero yo estoy muy contenta y además estoy muy ocupada porque les voy a hacer un pastel especial para darles la bienvenida. Pues, diario, no puedo escribir más porque alguien está llamando a la puerta y nadie más está en casa. Hasta mañana.

Ⓒ F **1.** La persona que escribe es una chica.
C Ⓕ **2.** La persona que escribe está triste.
C Ⓕ **3.** Viene a visitar el hermano de la persona que escribe.
C Ⓕ **4.** Los sobrinos de la persona que escribe vienen de México.
C Ⓕ **5.** La mamá está preocupada porque no habla español.
Ⓒ F **6.** La mamá tiene que hacer muchas preparaciones.
Ⓒ F **7.** El padre de la persona que escribe tiene una hermana.
C Ⓕ **8.** La persona que escribe va a preparar algo de beber.
Ⓒ F **9.** La persona que escribe tiene que contestar la puerta.
Ⓒ F **10.** Este diario es viejo.

Nombre ______________________________

Fecha ______________________________

IV. ESCRITURA

Sala de espera. You are in the waiting room of your dentist's office. Write a letter to a friend describing what is happening in the office. Also mention what you are feeling. *(15 pts.)*

Letters will vary. Sample letter:

Querida Ruth,

¿Cómo estás? Yo no estoy muy bien. Estoy muy nerviosa porque estoy en la oficina del dentista. Aquí hay muchas personas. Un niño está jugando. Una mujer está leyendo el periódico. Dos hombres están hablando. Todos están ocupados. ¿Y yo? Estoy escribiendo una carta. Ay, tengo que ver al dentista ahora. Hasta pronto.

Un abrazo de

Luis

Nombre ____________________

Fecha ____________________

¡DIME! UNO UNIDAD 4

EXAMEN

I. COMPRENSIÓN ORAL

Un evento especial. Read the statements and the possible answers. Then listen to the narration and choose the best answer to each statement. Listen a second time to verify your answers. *(2 ea. / 20 pts.)*

1. Este evento es . . .
- **a.** por la mañana.
- **b.** por la tarde.
- (**c.**) por la noche.

2. El evento ocurre en . . .
- **a.** el verano.
- (**b.**) el otoño.
- **c.** el invierno.

3. Este evento es . . .
- (**a.**) la recepción de una boda.
- **b.** un concierto de una banda famosa.
- **c.** la celebracón de un aniversario.

4. La novia . . .
- **a.** se llama Amelia.
- **b.** es modelo.
- (**c.**) a y b.

5. El novio . . .
- **a.** se llama Carlos.
- (**b.**) es músico.
- **c.** a y b.

6. Entre los invitados hay . . .
- **a.** gente importante.
- **b.** personas latinas.
- (**c.**) a y b.

7. Este evento es en . . .
- **a.** Miami.
- (**b.**) Los Ángeles.
- **c.** San Antonio.

8. Entre los invitados mencionados hay . . .
- **a.** ingenieros.
- (**b.**) artistas.
- **c.** a y b.

9. Muchas personas . . .
- **a.** están comiendo.
- **b.** están bebiendo ponche.
- (**c.**) están bailando.

10. Carlos Rubio es . . .
- (**a.**) hermanastro de la novia.
- **b.** hermano del novio.
- **c.** padrastro de la novia.

SCRIPT:

Buenas noches, damas y caballeros. Hoy tenemos un programa muy especial en un local diferente. Es el 15 de noviembre y estamos aquí en la recepción de la boda de Amelia de la Rosa y Nacho Escalona. ¡Qué experiencia más emocionante!

Como todos saben, la novia es una modelo de fama internacional. Y por supuesto, Amalia está muy hermosa hoy. El novio es un artista muy conocido en el mundo de música jazz. Su música es muy popular aquí en esta capital musical.

Esta boda reúne las familias de los novios con muchas otras personas importantes de la comunidad latina aquí en Los Ángeles. Aquí en la recepción vemos a médicos, abogados, profesores y artistas. Todos están elegantes y muy emocionados por la música.

El grupo Hermanos Latinos está tocando y muchas personas están bailando. El cantante de la banda, Carlos Rubio, es hermanastro de la novia. Vamos a escuchar un momento la música de la banda.

Nombre ______________________________

Fecha ______________________________

II. LENGUA EN CONTEXTO

A **Una familia ocupada.** The Chávez family has a lot to do today. What is everyone doing? Be sure to use the present progressive as you describe everyone's actions. *(2 ea. / 10 pts.)*

1. El hijo está tocando (practicando) el piano
______________________________.

2. Las hermanas están limpiando (su cuarto, la casa)
______________________________.

3. El padre está escribiendo una carta
______________________________.

4. El abuelo está comiendo (pastel)
______________________________.

5. Mamá y yo estamos preparando (haciendo) la comida
______________________________.

Nombre ______________________________

Fecha ______________________________

B **¡Qué guapo!** What's going on at the mall? Complete the conversation with the correct form of the most appropriate verb. *(2 ea. / 10 pts.)*

estar **tener** **querer** **venir** **conocer**

Pepa: Oye Irma, no ___conozco___ (1) a ese chico guapo. ¿Quién es?

Irma: Es mi amigo Teodoro. ¿___Quieres___ (2) conocerlo?

Pepa: Ay, sí. ¿Cuántos años ___tiene___ (3)?

Irma: Dieciséis. Mira, Teodoro ___viene___ (4) hacia nosotras ahora.

Pepa: Ay, Irma, ___estoy___ (5) tan nerviosa.

Irma: No seas tonta. Es muy simpático.

C **¡Qué familia!** Everybody admires their relatives. Complete the following statements with the appropriate possessive to indicate who admires whom. *(1 ea. / 4 pts.)*

1. Sara y yo admiramos a ___nuestro___ abuelo.
2. Juanito admira a ___sus___ hermanos.
3. Tú admiras a ___tu___ prima.
4. Yo admiro a ___mis___ tíos.

Nombre ______________________________

Fecha ______________________________

CH **Mucho dinero.** You are the secretary of the Spanish Club and you have to write out some checks to the following people. Write out the appropriate amounts. *(2 ea. / 6 pts.)*

1. $44 dólares al Restaurante Ortiz

Banco Nacional

_______________ de 19 _____

Páguese a la orden de Restaurante Ortiz $ 44.00

cuarenta y cuatro Dólares

Memo _______________ _______________ Firma

2. $67 dólares a los Autobuses Estrella Azul

Banco Nacional

_______________ de 19 _____

Páguese a la orden de Autobuses Estrella Azul $ 67.00

sesenta y siete Dólares

Memo _______________ _______________ Firma

3. $59 dólares al Ballet Folklórico de San Antonio

Banco Nacional

_______________ de 19 _____

Páguese a la orden de Ballet Folklórico de San Antonio $ 59.00

cincuenta y nueve Dólares

Memo _______________ _______________ Firma

Nombre ______________________________

Fecha ______________________________

¡DIME! UNO UNIDAD 4

EXAMEN

III. LECTURA Y CULTURA

La quinceañera. Read the article and the statements that follow. Circle **C (Cierto)** if the statement is true or **F (Falso)** if the statement is false. *(2 ea. / 20 pts.)*

Quinceañera

Los hispanos que viven en Estados Unidos, como los que viven en otras partes del mundo, celebran muchas fiestas tradicionales de sus países. Tienen fiestas religiosas, fiestas patrióticas y fiestas familiares. Tal vez la celebración familiar más popular aquí es la fiesta de la quinceañera.

Para una joven hispana el cumplir los quince años tiene una importancia especial. Este cumpleaños representa su entrada en la sociedad de los adultos. A esta edad, las jovencitas ya no son niñas, son mujeres.

Muchas personas celebran este día especial con la quinceañera. Por supuesto, está presente toda la familia. Vienen tíos y primos de todas partes y, claro, amigos de la familia. Además la joven invita a quince amigas y quince amigos que la acompañen durante las festividades. Todos llevan ropa elegante, especialmente la quinceañera.

El día de la celebración hay una ceremonia religiosa para honrar a la quinceañera. Después, hay una recepción con baile. Muchas personas asisten a la recepción para escuchar música excelente, bailar, comer comida deliciosa, beber y en general, celebrar con la quinceañera.

(C) F **1.** The main idea of the first paragraph is that Hispanics living in the United States hold traditional celebrations from their countries of origin.

C (F) **2.** All Hispanic teens have a special celebration called the *quinceañera.*

C (F) **3.** "Sweet Sixteen" is the most important birthday for a Hispanic girl.

(C) F **4.** This celebration marks the teen's initiation into adult society.

C (F) **5.** The main idea of the third paragraph is that the birthday teen invites 30 friends to celebrate the occasion.

C (F) **6.** Only close family members come to the *quinceañera* party.

C (F) **7.** Dress at the occasion is casual.

C (F) **8.** The main idea of the fourth paragraph is that there is a lot of food and drink at the *quinceañera* party.

(C) F **9.** The first part of the celebration is religious.

(C) F **10.** Music is included in the second part of the celebration.

Nombre ___

Fecha ___

IV. ESCRITURA

A **Cuestionario.** You are going to meet a new Hispanic friend. Prepare some questions to help you get more information about his or her family. Use a minimum of five different question words. *(10 pts.)*

Answers will vary. Sample answers:

¿Cuántas personas hay en tu familia?

¿Cuántos hermanos tienes?

¿Cuántos años tienen tus hermanos?

¿Cómo se llaman tus hermanos?

¿Cómo son tus hermanos?

¿Dónde están tus hermanos ahora?

¿Quiénes viven en tu casa?

¿Viven en una casa grande?

¿Qué hacen tus padres?

¿Dónde trabajan tus papás?

¿De dónde es tu familia?

¿Cuándo es el cumpleaños de tu mamá?

¿A qué hora van tú y tus hermanos a la escuela?

¿Cuándo estudian?

¿Dónde estudian?

¿Qué hacen ustedes los fines de semana?

B **Una familia extraordinaria.** Write a composition that describes a family you know. Describe a friend's family or a family from television. *(20 pts.)*

Answers will vary. Sample answer:

La familia de mi amiga Sonia es muy simpática. Tiene tres hermanos. Luis tiene dieciséis, Jorge tiene diecisiete y Germán tiene diecinueve. Germán estudia en la universidad. Quiere ser médico como su mamá. Sonia sólo tiene catorce años. Su papá es profesor.

Sonia y su familia siempre hacen cosas interesantes. Los fines de semana alquilan muchos videos y comen pizza. Invitan a muchos amigos. Me gusta mucho la familia de Sonia.

Nombre ____________________

Fecha ____________________

MIDYEAR EXAM

I. COMPRENSIÓN ORAL

A **¿Quién es?** You are in the cafeteria and you hear parts of different conversations. Listen to the comments and write the letter of the drawing that best fits each one. Listen a second time to verify your answers. *(1 ea. / 10 pts.)*

A

B

C

CH

D

SCRIPT:

1. CH — 1. ¿Por qué no come más? ¡Es muy delgada!
2. B — 2. Siempre hablan entre las clases. Creo que son novios.
3. A — 3. Está comiendo pastel otra vez.
4. C — 4. ¿Por qué no paseamos en bicicleta después de las clases?
5. B — 5. Esa chica baja es muy bonita.
6. A — 6. ¿Quién es ese chico rubio y delgado?
7. D — 7. Me encanta mi profesor de historia. Es moreno y muy guapo.
8. CH — 8. Estoy leyendo un libro muy interesante.
9. B — 9. ¿Conoces a ese chico grande y moreno?
10. C — 10. Son profesores pero son muy activos.

Nombre ______________________________

Fecha ______________________________

B **El pronóstico.** You are listening to a Spanish radio station. Read the statements. Then listen to the radio announcement. Circle **C (Cierto)** if the statement is true or **F (Falso)** if the statement is false. Listen a second time to verify your answers. *(2 ea. / 10 pts.)*

C (F) **1.** Hoy hace buen tiempo.

C (F) **2.** Hoy es un buen día para ir al parque.

(C) F **3.** Por la noche va a hacer viento.

C (F) **4.** Mañana va a llover todo el día.

(C) F **5.** Va a hacer calor mañana.

SCRIPT:
Y ahora, el tiempo. Como ya saben todos, hoy es un día muy feo. Está lloviendo y hace frío. Espero que todos estén en casa. Es un buen día para leer un libro y escuchar música. Va a seguir lloviendo esta noche y va a hacer mucho viento también. Afortunadamente mañana va a ser completamente diferente. Va a hacer sol y calor—un día ideal para practicar deportes o pasear en el parque.

C **Una entrevista.** Read the statements. Then listen to the interview and select the best answer for each statement. Listen a second time to verify your answers. *(2 ea. / 10 pts.)*

1. Alma está . . .
- **a.** nerviosa.
- **b.** preocupada.
- (**c.**) contenta.
- **ch.** cansada.

2. Alma es de . . .
- **a.** Norteamérica.
- (**b.**) Centroamérica.
- **c.** Sudamérica.
- **ch.** Europa.

3. A Alma le gusta . . .
- **a.** ver televisión.
- **b.** escribir cartas.
- (**c.**) correr.
- **ch.** jugar fútbol.

4. El nuevo libro va a estar listo en . . .
- **a.** primavera.
- **b.** otoño.
- **c.** invierno.
- (**ch.**) verano.

5. El nuevo libro es . . .
- **a.** una novela histórica.
- **b.** una novela romántica.
- (**c.**) una novela de ciencia ficción.
- **ch.** una novela de misterio.

SCRIPT:

Locutor: Señores y señoras, me da mucho gusto presentarles a ustedes a la señorita Alma Muñoz. Alma es una escritora famosa. Bienvenida.

Alma: Muchas gracias. Es un placer estar aquí con ustedes. Es la primera vez que estoy en esta ciudad y estoy muy contenta. Es una ciudad preciosa.

Locutor: ¿De dónde es usted?

Alma: De Guatemala, de la capital.

Locutor: Ah, otra ciudad preciosa. Dicen que hace muy buen tiempo allí. ¿Qué le gusta hacer durante su tiempo libre?

Alma: Pues, me encanta leer, pero también soy una persona activa. Corro todos los días por la mañana y los fines de semana me gusta jugar tenis. También me gusta mucho charlar con mis amigos.

Locutor: Está escribiendo un nuevo libro, ¿verdad?

Alma: Sí, va a estar listo en agosto.

Locutor: Me gustaría mucho leerlo. ¿Es otra novela histórica?

Alma: No, es completamente diferente. Es una novela de ciencia ficción con criaturas preciosas de otros planetas.

Locutor: ¡Qué interesante! Todos queremos leerla.

Nombre ______________________________

Fecha ______________________________

¡DIME! UNO **UNIDADES 1-4**

MIDYEAR EXAM

II. LENGUA EN CONTEXTO

A **La hora.** Everybody asks what time it is. What do you answer? Choose the statement from column B that matches the clock in Column A. *(1 ea. / 5 pts.)*

A

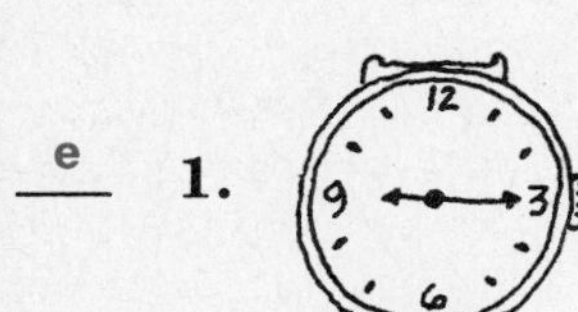

e 1.

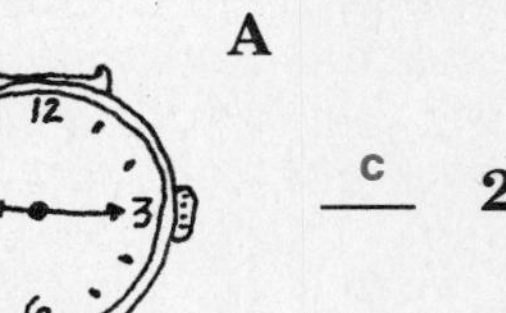

c 2.

b 3. f 4. a 5.

B

a. Son las dos y cuarto.
b. Es la una menos cuarto.
c. Son las once y media.
ch. Son las nueve y media.
d. Son las doce y cuarto.
e. Son las nueve y cuarto.
f. Son las dos menos cuarto.

B **No comprendo.** Your little brother is having trouble with his homework. What do you tell him? Circle the word that does NOT belong in the group. *(1 ea. / 5 pts.)*

1. padrastro tía (primero) abuelo
2. borrador (escritor) regla pizarra
3. (viernes) otoño verano primavera
4. enero julio (martes) octubre
5. fresco calor frío (veinte)

C **Después de las clases.** Two friends are talking. Complete the conversation with the most appropriate words or expressions. *(1 ea. / 10 pts.)*

Paco: Hola, Ana. ¿__1__ hora sales de la escuela hoy?
Ana: Pues, primero tengo __2__ hablar con la señora Caro. Quiere hablar con todos __3__ estudiantes hoy.
Paco: ¿Ah sí? ¿__4__?
Ana: Pues, vamos __5__ hacer una presentación especial para __6__ padres.
Paco: __7__ gustaría ver el programa.
Ana: ¡Qué bien! Es a __8__ ocho __9__ viernes. Te va a gustar porque conoces __10__ muchos de los participantes.

1. Qué (A qué) Cuál
2. (que) a de
3. tus (sus) su
4. Cuándo Dónde (Por qué)
5. que (a) y
6. su (nuestros) nuestras
7. (Me) Te Le
8. (las) los la
9. al la (el)
10. con que (a)

Nombre ______________________________

Fecha ______________________________

CH **Una carta.** You have a letter from José, a pen pal from Honduras. Complete his letter with the correct form of the verb in parentheses. *(1 ea. / 6 pts.)*

Querido(a) amigo(a),

Gracias por tu carta tan interesante. Yo también ___estudio___ *(estudiar)* mucho durante la semana. Los fines de semana mis amigos y yo ___salimos___ *(salir)* a comer al aire libre o a pasear. ¿Ustedes ___comen___ *(comer)* mucho al aire libre? Además, me ___encanta___ *(encantar)* ir al cine y ver películas norteamericanas. A veces mi familia ___alquila___ *(alquilar)* videos y nosotros ___pasamos___ *(pasar)* toda la noche frente al televisor. ¡Qué divertido! Espero otra carta pronto.

Un abrazo,
José

D **Por teléfono.** Sara and Paulita are talking on the telephone. Complete the conversation with the correct form of the most appropriate verb. *(2 ea. / 14 pts.)*

conocer **estar** **ir** **querer** **ser** **tener** **venir**

Sara: ¿Aló?

Paulita: Hola, Sara. ___Soy___ yo, Paulita. ¿Cómo ___estás___?

Sara: Bien, gracias. ¿Y tú?

Paulita: Un poco preocupada. ¿___Conoces___ al nuevo profesor de química?

Sara: No. ¿Es bueno?

Paulita: Sí, pero es exigente. Mañana ___tengo (tenemos)___ un examen muy grande en su clase y no estoy preparada.

Sara: A mí me encanta la química. ¿___Quieres___ estudiar juntas? ¿Por qué no ___vienes___ a mi casa?

Paulita: ¡Ah sí, gracias! Y, después de estudiar ___vamos___ a tomar un refresco.

Sara: ¡Perfecto! Hasta pronto.

III. LECTURA Y CULTURA

A **¡Qué bueno!** You are planning a visit to San Antonio. Read the selection and the statements that follow. Circle **C (Cierto)** if the statement is true or **F (Falso)** if the statement is false. *(2 ea. / 20 pts.)*

¡Visita San Antonio!

San Antonio es una ciudad moderna y pintoresca a unas setenta millas al sur de la capital. Es un centro de comercio donde hay mucha industria. En cuanto al clima, hace mucho calor en verano pero hace buen tiempo en invierno. Por eso, es muy popular con los turistas del norte. El río San Antonio corre por el centro de la ciudad.

Muchas personas hispanas viven en San Antonio. Para los estudiantes, hay mucha oportunidad de escuchar y hablar español. Más de 50% de la población lo habla y hay estaciones de radio, canales de televisión y periódicos en español.

San Antonio ofrece muchas atracciones turísticas. Le gusta a todo el mundo visitar el famoso Álamo. Además, San Antonio tiene dos universidades y una catedral muy viejas. Es una ciudad importante en la historia de Estados Unidos.

A los turistas les encanta comer en los buenos restaurantes y cafés—muchos de ellos al aire libre. De allí observan a la gente pasear por la ciudad. También hay muchas oportunidades para ir de compras. Hay un mercado mexicano en el centro de la ciudad que es muy popular.

Otro pasatiempo favorito consiste en el visitar los bonitos parques. El enorme Parque Brackenridge tiene un zoológico, un acuario y jardines orientales.

San Antonio es un lugar ideal para pasar las vacaciones. ¡Esperamos tu visita pronto!

C (F) **1.** San Antonio es la capital de Texas.

(C) F **2.** San Antonio es una ciudad industrial.

C (F) **3.** Hace frío en el invierno en San Antonio.

C (F) **4.** No hablan mucho español en San Antonio.

(C) F **5.** Es posible ver programas de televisión en español.

(C) F **6.** San Antonio tiene varias atracciones históricas.

(C) F **7.** Es popular comer al aire libre en San Antonio.

(C) F **8.** Es posible comprar cosas mexicanas en el centro de la ciudad.

C (F) **9.** El Parque Brackenridge es pequeño.

(C) F **10.** El turismo es importante en San Antonio.

Nombre ______________________________

Fecha ______________________________

B **¡Una carta!** You received a letter from your friend Julio who now lives in Mexico. Read his letter, then complete the statements that follow with the best response. *(2 ea. / 10 pts.)*

Querido(a) amigo(a), el 4 de enero

Estoy muy contento aquí en México. La ciudad es muy grande y hay mucho que hacer.

Estoy escribiendo esta carta en español para practicar. Tengo que estudiar mucho porque mis clases son en español. Todos los estudiantes son muy simpáticos. Tengo una nueva amiga que se llama Ángela. Ella es muy bonita y también inteligente. Estudiamos el álgebra y la historia juntos. Es muy divertido. La historia de México es muy difícil para mí. ¡Pero la clase de inglés es muy fácil! ¡Me encanta!

Mis primos vienen a nuestra casa casi todos los días. Mi hermana está muy contenta porque le gusta jugar con mi prima Elena. Las dos tienen 12 años. Mi primo Carlos tiene 15 años como yo. Los fines de semana todos vamos al Bosque de Chapultepec. Carlos y yo subimos a los juegos mecánicos pero las chicas no quieren. Ellas sólo van al zoológico.

Por la tarde vamos todos al cine o a comer pizza o vamos de compras en un centro comercial. A veces hay una fiesta en casa de un amigo.

En fin, como ves, mi vida aquí no es muy diferente de tu vida allá. Me gusta mucho, pero estoy un poco triste porque tú no estás aquí conmigo. ¿Cuándo vienes a visitar?

Un abrazo de tu amigo, Julio

1. Julio escribe la carta en . . .
a. verano.
b. primavera.
c. invierno. (circled)
ch. otoño.

2. A Julio le gusta . . .
a. vivir en México.
b. estudiar con Ángela.
c. su clase de inglés.
ch. a, b y c. (circled)

3. El primo de Julio . . .
a. es muy inteligente.
b. estudia historia con él.
c. tiene quince años. (circled)
ch. a, b y c.

4. A la hermana de Julio le gusta . . .
a. jugar con Ángela.
b. mirar a los animales. (circled)
c. subir a los juegos.
ch. estudiar con su prima.

5. Los fines de semana Julio . . .
a. sale con sus primos. (circled)
b. estudia inglés.
c. visita a sus tíos.
ch. está triste.

Nombre ______________________

Fecha ______________________

¡DIME! UNO — UNIDADES 1-4

MIDYEAR EXAM

WRITING TOPICS

A. Escribe una carta a un(a) amigo(a) por correspondencia. Describe cómo eres, cómo es tu familia y cuáles son tus actividades.

B. Tú vas a ser estudiante de intercambio y tienes que escribir una carta para presentarte a la directora de la escuela. Describe cómo eres, cómo es tu familia y cuáles son tus actividades.

C. Trabajas para el periódico de la escuela. Escribe tu entrevista con un(a) nuevo(a) estudiante de intercambio. Menciona su nombre, su país, sus actividades y su familia.

These topics are provided for teachers who wish to evaluate their students' writing skills at midyear. The topics may be assigned at the time of the Midyear Exam or on another day. Teachers may either assign a particular topic or allow students to choose. Teachers should assign a point value that they deem appropriate.

Nombre ______________________________

Fecha ______________________________

Nombre ______________________________

Fecha ______________________________

PRUEBA

I. COMPRENSIÓN ORAL

¿Adónde voy? Estás en el Hotel del Rey y la recepcionista te explica cómo llegar a varios lugares. Estudia el mapa que sigue y lee las oraciones. Luego, escucha las instrucciones e indica si las oraciones son **Ciertas (C)** o **Falsas (F)** Escucha las instrucciones otra vez para verificar tus respuestas. *(2 ea. / 10 pts.)*

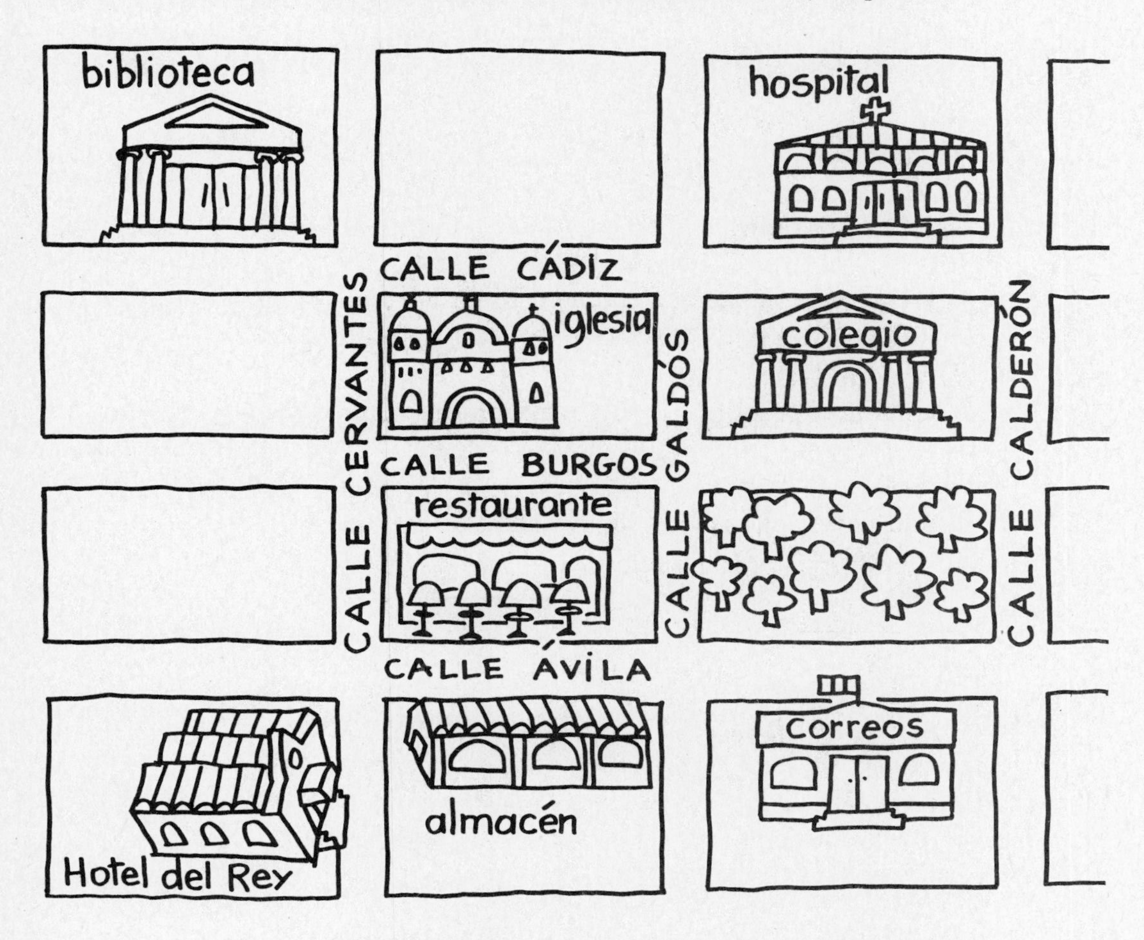

C (F) **1.** Tienes que subir al autobús en las calles Ávila y Calderón.

(C) F **2.** El autobús dobla a la derecha en la calle Cádiz.

C (F) **3.** El autobús pasa enfrente de la biblioteca.

(C) F **4.** El autobús pasa enfrente del hospital.

C (F) **5.** Tienes que caminar una cuadra para llegar al parque.

SCRIPT:

Al salir del hotel, toma el autobús en la esquina de Ávila y Cervantes. El autobús sigue por la calle Cervantes y dobla a la derecha en la calle Cádiz, pero tú tienes que bajarte en la esquina. Camina media cuadra hacia la izquierda y la bibioteca está a la derecha.

Ahora, para ir al parque, sube al autobús en la misma esquina. El autobús sigue por la calle Cádiz pasando el hospital y después dobla a la derecha en la calle Calderón. El parque está a dos cuadras y puedes bajarte enfrente.

Nombre ______________________

Fecha ______________________

II. LENGUA EN CONTEXTO

A **Mi hermanito.** Carolina le da varios mandatos a su hermanito porque su mamá no está en casa. Completa sus instrucciones con la forma correcta del verbo indicado. *(1 ea. / 5 pts.)*

1. ___Estudia___ la lección. *(estudiar)*
2. ___Lee___ el libro de geografía. *(leer)*
3. ___Escribe___ tu composición. *(escribir)*
4. ___Limpia___ tu cuarto. *(limpiar)*
5. ___Come___ tu sándwich. *(comer)*

B **Cambio.** Trabajas para una compañía norteamericana en Madrid y tienes que cambiar dinero todos los días. ¿Cuántas pesetas recibes? Escribe los números apropiados en cada espacio. *(1 ea. / 5 pts.)*

1. lunes: treinta y un mil quinientas pesetas

   ___31.500___ pesetas

2. martes: cincuenta y dos mil novecientas pesetas

   ___52.900___ pesetas

3. miércoles: quince mil pesetas

   ___15.000___ pesetas

4. jueves: veinte mil setecientas pesetas

   ___20.700___ pesetas

5. viernes: un millón de pesetas

   ___1.000.000___ pesetas

C **Una cita.** Ernesto va a salir con sus amigos y necesita dinero. Completa la conversación con su mamá con la forma apropiada de los verbos **dar**, **saber** o **salir**. *(1 ea. / 5 pts.)*

Ernesto: Mamá, esta tarde yo ___salgo___ al cine con mis amigos y necesito dinero.

Mamá: Bueno, ¿ ___sabes___ qué película van a ver?

Ernesto: No ___sé___ el título, pero dicen que es buena.

Mamá: Pues, como eres muy buen hijo, yo te ___doy___ diez dólares.

Ernesto: Gracias, mamá, pero los padres de Lorenzo siempre le ___dan___ quince.

Mamá: ¡Ernesto, por favor!

Nombre ______________________________

Fecha ______________________________

PRUEBA

III. LECTURA Y CULTURA

Guía turística. Lee la información que sigue. Luego indica si las oraciones a continuación son **Ciertas (C)** o **Falsas (F).** *(2 ea. / 10 pts.)*

Madrid está abierta las 24 horas del día. La noche en Madrid, más que en otras ciudades del mundo, ofrece una multitud de posibilidades para todos.

Siempre hay algo que hacer y las calles están llenas de gente a todas horas. Van a cafés, restaurantes, discotecas o al teatro.

Hay locales ideales para gente de todas las edades y todos los gustos. Por ejemplo, para tomar un café con leche en un lugar de exquisita decoración, el Café Viena. Para escuchar música jazz, el Café Central. Para estar con la clientela joven, la discoteca RKO. Para escuchar música clásica, el restaurante La Fídula. Para presenciar actuaciones de baile flamenco, El corral de la morería.

Madrid de noche es una de las ciudades más divertidas del mundo entero. ¡Sólo hay que venir y ver!

El estar en Madrid de noche es disfrutar de la vida.

1. El título más apropiado para esta selección es . . .

- **a.** Cafés madrileños.
- **b.** Madrid de noche.
- **c.** Música y comida en Madrid.
- **ch.** Ciudades del mundo.

2. Hay actividades . .

- **a.** día y noche.
- **b.** para niños y adultos
- **c.** de muchos tipos.
- **ch.** a, b y c.

3. Algunas de las actividades típicas de Madrid son . . .

- **a.** pasear.
- **b.** comer.
- **c.** bailar.
- **ch.** a, b y c.

4. El lugar más popular entre los adolescentes probablemente es . . .

- **a.** RKO.
- **b.** El corral de la morería.
- **c.** La Fídula.
- **ch.** Café Central.

5. El artículo insiste en que Madrid es muy activa . . .

- **a.** de día.
- **b.** de noche.
- **c.** en el verano.
- **ch.** a, b y c.

Nombre ____________________

Fecha ____________________

IV. ESCRITURA

¡Una visita! Eres estudiante de intercambio en una ciudad latinoamericana. Tu padre viene a visitarte. Escríbele instrucciones para ir del aeropuerto al hotel y luego del hotel al colegio. Luce tu español pero sólo usa expresiones que son familiares. *(15 pts.)*

Answers will vary. Sample answer:

Al salir del aeropuerto, dobla a la izquierda y camina dos cuadras y media. Cruza la Avenida Rosa y dobla a la derecha. Camina una cuadra, dobla a la izquierda y el hotel está enfrente.

Para ir al colegio, sigue derecho dos cuadras en la calle Encino. Dobla a la izquierda en la Avenida Tulipán. El colegio está a la derecha.

Nombre ____________________

Fecha ____________________

¡DIME! UNO UNIDAD 5 LECCIÓN 2

PRUEBA

I. COMPRENSIÓN ORAL

De compras. Lee las oraciones. Luego, escucha la conversación entre un cliente y una dependiente en una tienda. Luego indica si las oraciones son **Ciertas (C)** o **Falsas (F)**. Escucha la conversación otra vez para verificar tus respuestas. *(1 ea. / 10 pts.)*

See script below.

C	(F)	**1.**	El regalo es para una chica.
C	(F)	**2.**	El cliente busca un artículo rojo.
(C)	F	**3.**	La dependiente recomienda un regalo morado.
C	(F)	**4.**	El regalo cuesta 500 pesetas.
(C)	F	**5.**	La dependiente piensa que el regalo tiene buen precio.
(C)	F	**6.**	El cliente piensa que el artículo cuesta mucho.
(C)	F	**7.**	El cliente decide buscar otro regalo.
C	(F)	**8.**	La dependiente recomienda zapatos.
C	(F)	**9.**	La sección de zapatos está detrás de la sección de blusas.
C	(F)	**10.**	El cliente tiene que ir al cuarto piso.

II. LENGUA EN CONTEXTO

A **Una visita.** Paquita le escribe una carta a su amiga Nilda. Completa la carta con la forma apropiada de los verbos indicados. *(1 ea. / 5 pts.)*

Querida Nilda,

Mi familia y yo ___pensamos___ *(pensar)* visitarte en agosto. Yo ___puedo___ *(poder)* ir antes, en junio o en julio. ¿Qué mes ___prefieres___ *(preferir)* tú? El viaje ___cuesta___ *(costar)* menos en junio, ¿no? Mis padres ___recuerdan___ *(recordar)* a todos con mucho cariño y tienen muchas ganas de verlos. Escríbeme pronto.

Un abrazo,
Paquita

SCRIPT:

Cliente:	Perdone, señora. Necesito comprar un regalo para mi madre. ¿Qué recomienda usted?
Dependiente:	Estas blusas son muy elegantes y populares. ¿Qué color le gusta a tu madre?
Cliente:	El verde es su color favorito pero también le gusta el azul y el morado.
Dependiente:	Bueno, ¿qué te parece esta blusa morada?
Cliente:	Es preciosa. ¿Cuánto vale?
Dependiente:	Sólo 5.000 pesetas. Es una buena oferta, ¿no?
Cliente:	Ay, ay, ay. Es muy cara. ¿Me puede recomendar otra cosa?
Dependiente:	¿Qué tal un perfume?
Cliente:	Me parece perfecto. ¿Dónde está la sección de perfumes?
Dependiente:	Está en el quinto piso, detrás de los zapatos.
Cliente:	Bien. Muchas gracias.

Nombre ______________________

Fecha ______________________

B **Los gustos.** Completa estas oraciones con la forma apropiada del verbo **gustar** y *el complemento indirecto* para saber algo de los gustos de los estudiantes de este colegio. *(1 ea. / 5 pts.)*

1. A Norberto y a Toño ___les___ ___gusta___ escribir poemas.
2. A Teresa ___le___ ___gustan___ los exámenes fáciles.
3. A Víctor y a mí ___nos___ ___gusta___ la comida de la cafetería.
4. ¿A ti ___te___ ___gusta___ el recreo?
5. A Ramón y a Ana ___les___ ___gustan___ las clases de educación física.

C **¿Colores?** Sarita tiene que nombrar los colores de estas comidas. ¿Puedes ayudarla? Escribe los nombres apropiados en los blancos. *(1 ea. / 5 pts.)*

1. El tomate es ___rojo___.
2. Los guisantes son ___verdes___.
3. La banana es ___amarilla___.
4. La naranja es ___anaranjada___.
5. La papa es ___marrón (blanca)___.

Nombre ______________________

Fecha ______________________

¡DIME! UNO UNIDAD 5 LECCIÓN 2

PRUEBA

III. LECTURA Y CULTURA

Almacén. Estás de compras en Galerías Preciosas. Estudia el directorio y selecciona la mejor respuesta a las preguntas a continuación. *(1 ea. / 10 pts.)*

Planta	Departamentos
8	Cafetería Restaurante Promociones especiales
7	Equipo deportivo Zapatería deportiva Ropa deportiva
6	Moda joven para él y ella Discos, casetes Instrumentos musicales
5	Moda masculina Aparatos electrónicos Televisión, radio
4	Moda infantil Juguetes, bicicletas Juegos educativos
3	Todo para la mujer Moda femenina Boutiques internacionales
2	Todo para la casa Electrodomésticos
1	Supermercado Librería, papelería
PB	Complementos de moda Joyería, relojería Perfumería, cosmética

1. Tienes que comprar una carpeta para la escuela. ¿A qué planta vas?

(**a.**) A la primera. **c.** A la octava.
b. A la cuarta. **ch.** A la sexta.

2. Buscas una computadora. ¿A qué planta vas?

a. A la planta baja. **c.** A la cuarta.
b. A la primera. (**ch.**) A la quinta.

3. Necesitas comprar un regalo para una niña de dos años. ¿A qué planta vas?

a. A la séptima. **c.** A la tercera.
(**b.**) A la cuarta. **ch.** A la planta baja.

4. Buscas un regalo para un amigo atlético. ¿A qué planta vas?

a. A la planta baja. (**c.**) A la séptima.
b. A la cuarta **ch.** A la octava.

5. Quieres comprar la nueva novela de tu autora favorita. ¿A qué planta vas?

a. A la séptima. **c.** A la segunda.
b. A la quinta. (**ch.**) A la primera.

6. Buscas una camiseta para un compañero de clase. ¿A qué planta vas?

a. A la planta baja. (**c.**) A la sexta.
b. A la tercera. **ch.** A la octava.

7. Te gustaría comprar una guitarra. ¿A qué planta vas?

a. A la planta baja. **c.** A la cuarta.
b. A la segunda. (**ch.**) A la sexta.

8. Es el cumpleaños de tu mamá y quieres comprarle un suéter. ¿A qué planta vas?

a. A la planta baja. (**c.**) A la tercera.
b. A la segunda. **ch.** A la sexta.

9. Tienes problemas con tu reloj. ¿A qué planta vas?

(**a.**) A la planta baja. **c.** A la segunda.
b. A la cuarta. **ch.** A la séptima.

10. Quieres tomar un café. ¿A qué planta vas?

a. A la primera. (**c.**) A la octava.
b. A la quinta. **ch.** A la segunda.

Nombre ______________________

Fecha ______________________

IV. ESCRITURA

Entrevista. Estás escribiéndole una carta a un(a) estudiante de intercambio que viene a tu escuela el año que viene. Explícale qué ropa debe traer *(bring)* para las cuatro estaciones del año. Luce tu español pero sólo usa expresiones que son familiares. *(15 pts.)*

Answers will vary. Sample answer:

Querido Rafael,

¡Qué bueno! ¡Vas a venir a nuestra escuela! En otoño hace fresco aquí. Para la escuela vas a necesitar pantalones (jeans son excelentes) y camisetas o camisas. Para actividades formales necesitas un traje. Claro, necesitas zapatos deportivos y elegantes. En invierno necesitas suéteres, una chaqueta y botas. Para la primavera y el verano, necesitas pantalones cortos y camisetas. Si no tienes algo, puedes comprar ropa en las tiendas aquí. ¡Espero tu visita! Escribe pronto.

Tu amigo,

Tomás

Nombre ______________________________

Fecha ______________________________

¡DIME! UNO — UNIDAD 5 LECCIÓN 3

PRUEBA

I. COMPRENSIÓN ORAL

En el restaurante. Estás escuchando a varias personas en un restaurante. ¿Quién habla, un(a) camarero(a) o un(a) cliente? Marca el espacio apropiado. Escucha la información otra vez para verificar tus respuestas. *(1 ea. / 10 pts.)*

	Camarero(a)	*Cliente*
1.	☐	☑
2.	☑	☐
3.	☐	☑
4.	☐	☑
5.	☑	☐
6.	☑	☐
7.	☐	☑
8.	☑	☐
9.	☐	☑
10.	☑	☐

SCRIPT:

1. **Todo fue exquisito. ¿Nos trae la cuenta, por favor?**
2. **Buenas tardes. ¿Quieren ver la carta?**
3. **¿Qué es esto? No entiendo muy bien la carta.**
4. **No tengo mucha hambre. ¿Qué fruta sirven?**
5. **Recomiendo el melón. Está muy bueno hoy.**
6. **¿Están listos para pedir o necesitan más tiempo?**
7. **¿Cuánto le dejo de propina? ¿Cien pesetas?**
8. **¿Quieren algo más? Nuestro bizcocho es riquísimo.**
9. **Según la carta, no tenemos que dejar nada. Dice que el servicio va incluido.**
10. **¿Y para beber? Tenemos refrescos, café y agua mineral.**

II. LENGUA EN CONTEXTO

A **Casa Paco.** Completa este anuncio del restaurante Casa Paco con la forma apropiada del verbo entre paréntesis. *(1 ea. / 5 pts.)*

RESTAURANTE CASA PACO

La gente guapa siempre ____**pide**____ *(pedir)* su comida en Casa Paco. ¿Por qué? Porque nosotros sólo ____**servimos**____ *(servir)* comida de ingredientes naturales. Todos los clientes ____**dicen**____ *(decir)* que nuestro restaurante es el mejor. ¿Por qué no ____**vienes**____ *(venir)* tú a probarlo? Es fácil encontrarnos. Simplemente ____**sigue**____ *(seguir)* la Gran Avenida hasta la Calle 2da y allí estamos en la esquina. ¡Buen provecho!

Nombre ______________________________

Fecha ______________________________

B **En el café.** Lee esta conversación entre Elenita, su mamá y un camarero. Completa la conversación con las expresiones más apropiadas. *(1 ea. / 10 pts.)*

En la calle:

Elenita: Mamá, tengo __1__. Quiero papas fritas.

Mamá: Bien, mi amor. __2__ unas frutas en este café.

En el café:

Camarero: ¿Qué __3__? ¿Hamburguesas, papas fritas?

Elenita: Sí, sí. Y una limonada grande. Tengo __4__

Mamá: No, hija mía. A ella __5__ una manzana y leche. Y para mí, a ver . . . ¿puede __6__ un plato de melón bien frío?

Camarero: ¿Y desean algo frío para beber? Hace mucho calor hoy.

Mamá: Sí, tiene __7__. Un vaso de agua fría, por favor.

Más tarde:

Mamá: Elenita, come más rápido. Tenemos __8__. Tengo que __9__ la cena a tu hermano.

Elenita: No quiero comer más, mamá. Ya no tengo __10__. Vamos a casa.

1.	sed	hambre	sueño
2.	Te compro	Comprarte	Compras
3.	traernos	nos traigo	les traigo
4.	sed	miedo	sueño
5.	me trae	les trae	le trae
6.	traerme	traernos	me traer
7.	miedo	prisa	razón
8.	miedo	prisa 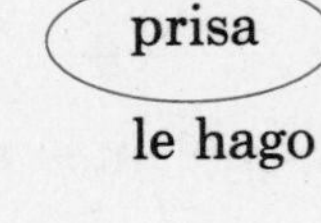	razón
9.	hacerle	le hago	nos hago
10.	hambre	calor	razón

Nombre ______________________________

Fecha ______________________________

III. LECTURA Y CULTURA

Carta. Lee esta carta y luego indica si las oraciones a continuación son **Ciertas (C)** o **Falsas (F).** *(1 ea. / 10 pts.)*

Mesón Clarita

Bocadillos

(Todos los sándwiches vienen acompañados de patatas fritas y ensalada; si quiere tomate en su sándwich, añada 50 ptas.)

	PTAS.
de jamón	1.000
de queso	850
mixto	1.150
de pollo	1.000
hamburguesa	1.200
(con queso)	1.350

Postres:

	PTAS.
pastel de manzana	490
bizcocho	450
helados	400
(chocolate, fresa, vainilla)	625
quesos variados	

Frutas:

manzana	360
naranja	275
melón	375
banana	300
fresas (en la temporada)	450
melocotón	300

Bebidas:

café	150
leche	250
agua mineral	150
refrescos	200
limonada	200

Servicios e impuestos incluidos.

Ⓒ F **1.** Un sándwich de jamón con tomate cuesta mil cincuenta pesetas.

C Ⓕ **2.** Sándwiches con patatas cuestan cincuenta pesetas más.

C Ⓕ **3.** Una hamburguesa con queso, tomate y patatas cuesta mil trescientas cincuenta pesetas.

Ⓒ F **4.** Puedes comprar un sándwich y una bebida por mil pesetas.

Ⓒ F **5.** Este café sirve una variedad de frutas a precios menos de quinientas pesetas.

C Ⓕ **6.** Si quieres una ensalada con tu sándwich, tienes que ir a otro café.

C Ⓕ **7.** Puedes comprar un postre y café por cuatrocientas cincuenta pesetas.

Ⓒ F **8.** Puedes tomar un sándwich, una fruta y una bebida por mil trescientas pesetas.

C Ⓕ **9.** Tienes que pagar extra por el servicio.

Ⓒ F **10.** Este café ofrece varios sabores de helado.

Nombre ______________________________

Fecha ______________________________

IV. ESCRITURA

¡Es fantástico! Tu restaurante favorito está ofreciendo comidas gratis y regalos especiales. Sólo tienes que escribir una buena composición que describa el restaurante y que explique por qué te gusta. Debes mencionar tus comidas favoritas. Luce tu español pero sólo usa expresiones que son familiares. *(15 pts.)*

Answers will vary. Sample answer:

Me encanta Casa Carolina porque la comida es excelente. Me gustan mucho las hamburguesas y las papas fritas. Toda mi familia come en Casa Carolina. A mi mamá le encanta el bizcocho y a mi papá le gustan los sándwiches mixtos. Mis hermanos siempre piden helado. A mí me gusta todo. Me gustaría comer en este restaurante todos los días. Es un restaurante estupendo.

Nombre ________________________________

Fecha ________________________________

¡DIME! UNO UNIDAD 5

EXAMEN

I. COMPRENSIÓN ORAL

¡Atención, atención! La señora Pérez quiere comprar ropa para sus hijos. Escucha el anuncio y escribe (en números) el precio de las cosas que quiere comprar. Escucha el anuncio otra vez para verificar tus respuestas. *(2 ea. / 10 pts.)*

1. 1 par de jeans

3.000 ptas.

2. 1 camiseta negra

500 ptas.

3. 3 pares de pantalones cortos

2.000 ptas.

4. 1 pantalón con camisa

5.200 ptas.

5. 1 falda con blusa

5.700 ptas.

SCRIPT:

¡Atención señores clientes de Almacenes Palacio! Al terminar este anuncio, por quince minutos habrá precios especiales en el departamento de jóvenes. Tenemos jeans de varios estilos a tres mil pesetas. Ofrecemos camisetas en negro, rojo, verde, amarillo y azul al bajo precio de quinientas pesetas, novecientas por dos. Además para los deportistas, hay zapatos deportivos de última moda a dos mil setecientas pesetas y pantalones cortos en todos los colores al precio muy especial de tres por sólo dos mil pesetas. Para el colegio, les ofrecemos a los jóvenes pantalones con camisas por cinco mil doscientas pesetas y para las jóvenes, faldas con blusas a cinco mil setecientas pesetas. Vengan todos inmediatamente a la sección de jóvenes. Queda poco tiempo para aprovechar estas excelentes ofertas.

Nombre ____________________

Fecha ____________________

B **¿Adónde voy?** Estás visitando a tu abuela en otra ciudad y tienes que hacer varias cosas. Estudia el mapa. Luego, escucha las instrucciones de tu abuela. En el mapa, escribe en orden cronológico los números uno a cinco en los lugares que visitas. Escucha las instrucciones otra vez para verificar tus respuestas. *(2 ea. / 10 pts.)*

SCRIPT:

Al salir de la casa, dobla a la izquierda y en la primera esquina, dobla a la derecha. Sigue una cuadra, pasando la iglesia, y dobla a la izquierda en la Calle B. Sigue media cuadra y allí estás en la oficina de correos.

Después de enviar las cartas, al salir de correos, dobla a la izquierda, cruza la Avenida Segunda, sigue media cuadra y entra en el Almacén Goya para comprar una nueva mochila.

Al salir del almacén, dobla a la izquierda. En la Avenida Tercera dobla a la derecha y a media cuadra, encuentras la biblioteca enfrente del teatro. Aquí tienes los libros.

Al salir de la biblioteca, dobla a la izquierda y sigue dos cuadras más. Después de cruzar la Calle C, a la derecha está la Pizzería Milano. Compra una pizza para tía Josefina.

Al salir de la pizzería, dobla a la izquierda y camina media cuadra. En la calle C, dobla a la derecha. Sigue una cuadra y cruza la Avenida Segunda. A la derecha está la casa de tía Josefina.

Nombre ______________________

Fecha ______________________

¡DIME! UNO **UNIDAD 5**

EXAMEN

II. LENGUA EN CONTEXTO

A **¿Qué hago?** Un compañero de clase quiere recibir una A en su clase de español. Escribe cinco cosas que debe hacer. Usa los mandatos afirmativos de los verbos entre paréntesis. *(2 ea. / 10 pts.)*

Answers will vary. Sample answers:

1. *(estudiar)* Estudia todos los días,
2 *(escribir)* Escribe la tarea todas las noches.
3. *(leer)* Lee *Para empezar* y *¿Qué decimos. . .?* en casa.
4. *(hablar)* Habla en español con tus amigos.
5. *(trabajar)* Trabaja mucho todos los días.

B **En Madrid.** Aurora y su prima están conversando en un café en Madrid. Completa su conversación con la forma correcta de los verbos entre paréntesis. *(1 ea. / 10 pts.)*

Mariela: Bueno, Aurora, ¿qué quieres *(querer)* comer tú?

Aurora: No sé *(saber)*. ¿Qué recomiendas *(recomendar)*?

Mariela: El sándwich mixto es muy bueno pero cuesta *(costar)* mucho.

Aurora: Pues yo prefiero *(preferir)* un sándwich de queso. Pero, no puedo *(poder)* encontrar las bebidas en la carta. ¿Sabes qué sirven *(servir)*?

Mariela: Tienen café, agua mineral, leche y refrescos. Mis amigos y yo siempre pedimos *(pedir)* limonada. Salgo *(Salir)* con ellos todos los sábados.

Más tarde:

Aurora: ¡Qué rico todo! ¿Cuánto le doy/damos *(dar)* de propina?

Mariela: El 15%.

Nombre ____________________

Fecha ____________________

C **¡Qué rico!** El restaurante favorito de Guillermo es Los Tres Amigos. Para saber por qué, marca las expresiones que mejor completen su carta. *(1 ea. / 10 pts.)*

Estimados señores,
__1__ su restaurante. Es un lugar
fabuloso. A mis amigos también __2__
comer en Los Tres Amigos. Después
de jugar fútbol, cuando tenemos __3__,
siempre vamos a su restaurante para
comer las hamburguesas.
Toda la comida es rica pero __4__ más
las papas fritas. Cuando tenemos
mucha __5__, su limonada grande es
perfecta.
Además cuando tengo __6__, los
camareros __7__ la comida rápidamente.
Ellos son muy simpáticos y, por
supuesto, siempre __8__ una buena
propina.
Ustedes tienen __9__ cuando dicen
que su restaurante __10__ la mejor
comida de la ciudad.

1. Me encantan **Me encanta** Te encanta
2. **les encanta** nos encanta le encanta
3. razón sed **hambre**
4. **nos gustan** les gusta le gustan
5. sueño frío **sed**
6. **prisa** calor razón
7. les traen les traemos **me traen**
8. **les dejo** dejarles les dejar
9. **razón** miedo hambre
10. ofrecen **ofrece** ofrecen

Nombre ______________________________

Fecha ______________________________

¡DIME! UNO UNIDAD 5

EXAMEN

III. LECTURA Y CULTURA

Mercado. Lee esta selección de una guía turística y luego indica si las oraciones son **Ciertas (C)** o **Falsas (F)**. *(2 ea. / 20 pts.)*

Mercado Puerta de Toledo

Dirección: Ronda de Toledo,1. Tel. 266 72 00.
Metro: Puerta de Toledo

Horario:
Martes a sábados, de 11,30 a 21,00
Domingos y festivos, de 11,30 a 15,00
Lunes, cerrado

Madrid tiene desde 1988 un nuevo centro comercial dedicado al comercio selecto de productos originales (moda, diseño, joyería, etc.) al ocio y a la cultura. Situado en una de las zonas más viejas de Madrid, queda muy cerca del Mercado Central de Pescados.

Espacios amplios, patios luminosos, rampas y grandes corredores, ascensores panorámicos y decoración muy moderna se combinan para representar la tradición y la vida actual.

El Mercado Puerta de Toledo reúne un total de 140 establecimientos especializados,entre los que se encuentran magníficas tiendas de antigüedades, joyerías, tiendas de ropa de última moda, galerías de arte, etc.

Además de la oferta comercial, el Mercado tiene diversos espacios dedicados al tiempo libre y la cultura. Dos salas de exposiciones, restaurantes de alta calidad, bares y cafeterías completan la oferta de este centro abierto, dinámico y variado.

C (F) **1.** El Mercado Puerta de Toledo está en Toledo, España.

(C) F **2.** Es posible tomar el Metro para llegar al Mercado.

C (F) **3.** Muchas personas van al Mercado los lunes.

C (F) **4.** Está en la parte más moderna de la ciudad.

(C) F **5.** Venden ropa en el Mercado Puerta de Toledo.

(C) F **6.** El segundo párrafo describe la arquitectura del Mercado.

C (F) **7.** El Mercado es un almacén enorme.

(C) F **8.** El Mercado ofrece oportunidades de conocer la cultura.

(C) F **9.** Los clientes pueden comer en el Mercado.

(C) F **10.** La idea principal de esta selección es dar información sobre un centro comercial.

Nombre ______________________

Fecha ______________________

IV. ESCRITURA

A **Bosquejo.** In Exercise B, you will be asked to write a composition about your favorite department store. In preparation for this task, make an outline **(bosquejo)** in Spanish of at least three categories with at least two subcategories under each. *(10 pts.)*

Answers will vary. Sample answer:

Brown's Department Store

I. Información general

A. tres pisos

B. muchas secciones

II. Secciones

A. secciones de ropa

B. sección de deportes

III. Por qué me gusta

A. cerca de mi casa

B. cosas buenas y bonitas y no caras

Nombre ______________________________

Fecha ______________________________

EXAMEN

B **Un almacén extraordinario.** En una composición, describe tu almacén favorito. Incluye los detalles de tu bosquejo. Luce tu español pero sólo usa expresiones que son familiares. *(20 pts.)*

Answers will vary. Sample answer:

Brown's Department Store

Mi almacén favorito es Brown's. Es un almacén muy grande y bonito. Tiene tres pisos y muchas secciones. Puedo comprar muchas cosas allí.

Hay secciones de ropa para hombres, mujeres, jóvenes y niños. También hay cosas para bebés. Mi sección favorita es la sección de deportes. Siempre compro muchas cosas allí.

Me gusta Brown's porque está muy cerca de mi casa. Puedo caminar allí. También tienen cosas buenas y bonitas. Y no cuestan mucho dinero.

Nombre ______________________

Fecha ______________________

Nombre ______________________

Fecha ______________________

PRUEBA

I. COMPRENSIÓN ORAL

¡De vacaciones! Enrique está describiendo su visita a Guadalajara. Escucha sus descripciones. Luego, escribe la letra de cada descripción en el espacio debajo del dibujo que se describe. (¡Ojo! No todos los dibujos se describen.) Escucha otra vez para verificar tus respuestas. *(2 ea. / 10 pts.)*

1. C

2. ______

3. D

4. CH

5. A

6. B

SCRIPT:

A. Ayer Juan y Pepita escucharon música en el Parque Agua Azul. Les gustó mucho. Una mujer cantó muy bien.

B. Ese mismo día yo fui al Lago Chapala. Comí en un restaurante precioso al lado del lago. ¡Qué rico!

C. Ayer también fui a un mercado muy interesante con Luisa. Compré muchas cosas típicas.

CH. Tomamos un refresco en un café. Unos mariachis tocaron en nuestra mesa.

D. Esta mañana escribí cartas a todos mis amigos. ¡Uf! Pasé muchas horas en eso.

Nombre ______________________

Fecha ______________________

II. LENGUA EN CONTEXTO

A **Querida Raquel.** Margarita acaba de escribir esta carta a su amiga Raquel que vive en otra ciudad. Completa su carta con la forma correcta del verbo indicado. *(1 ea. / 10 pts.)*

> Querida Raquel,
>
> Tu carta ___llegó___ *(llegar)* ayer y ___decidí___ *(decidir: yo)* contestarla inmediatamente. ¿Cómo están todos? Espero que todo vaya bien.
>
> Aquí todo está estupendo. El sábado pasado Teresita y yo ___pasamos___ *(pasar)* la tarde en el centro. ___Vimos___ *(Ver)* muchas cosas interesantes. Más que nada nos ___encantó___ *(encantar)* una nueva tienda de ropa. Y ya me conoces. ___Compré___ *(Comprar: yo)* una falda y dos blusas muy bonitas. Teresita ___decidió___ *(decidir)* comprar unos pantalones y un sombrero muy cómico. Después, en un café, unos mariachis ___tocaron___ *(tocar)* para nosotras. ¡Qué ilusión!
>
> ¿Y tú? ¿Qué hay de nuevo? ¿___Saliste___ *(Salir)* otra vez con Roberto? Escríbeme pronto y yo te escribo también.
>
> Un abrazo de
>
> Margarita

B **¡Qué ocupados!** Toda la familia de Rafael siempre está ocupada. Según Rafael, ¿qué hicieron ayer? Completa las oraciones con la forma apropiada del verbo **ir**. *(1 ea. / 5 pts.)*

1. Mamá y papá ___fueron___ al trabajo.
2. Mi hermano ___fue___ a la biblioteca a estudiar.
3. Yo ___fui___ a mi clase de karate.
4. Mis hermanas ___fueron___ de compras.
5. Todos nosotros ___fuimos___ a un restaurante a cenar.

Nombre ______________________

Fecha ______________________

III. LECTURA Y CULTURA

El ballet. Lee las oraciones a continuación. Luego busca la información necesaria en este programa. No es necesario entender cada palabra del programa para completar las oraciones. *(2 ea. / 10 pts.)*

PALACIO DE BELLAS ARTES

BALLET FOLKLÓRICO DE MÉXICO

Directora general y Coreógrafa

AMALIA HERNÁNDEZ

PROGRAMA

1. *LOS CONCHEROS*
   Los Concheros del Pasado y del Presente originarios del Estado de México.
2. *SONES ANTIGUOS DE MICHOACÁN*
   El estado de Michoacán es un centro de la música y danza popular mexicana con sus danzas de sonaja y jarabes.
3. *ZAFRA EN TAMAULIPAS*
   Tamaulipas Estado del Norte de México, región donde celebran con fiestas la cultivación de la caña de azúcar.
4. *LA REVOLUCIÓN*
   La Revolución de 1910 causó grandes cambios sociales en México. Este Ballet está dedicado a las "Soldaderas", mujeres que combatieron al lado de los hombres en la Revolución.
5. *SERENATA*
   La noche del santo de la enamorada, va el novio con un grupo de músicos y le canta versos de amor.
6. *EL VENADO*
   Una de las danzas más viejas de México, se basa en un rito de los yaquis, habitantes del estado de Sonora desde 25.000 años antes de la era cristiana. Las personas que bailan esta danza la estudian desde niños.
7. *JALISCO*
   El estado de Jalisco es la tierra de los "Charros", de las "Chinas" y de los "Mariachis", símbolos de la nacionalidad mexicana.

1. Un baile que aprenden los bailarines cuando son niños es

El Venado ______________________.

2. Los bailes del estado de ______ Jalisco ______ son asociados simbólicamente con toda la nación mexicana.

3. Un baile en honor de las mujeres mexicanas del pasado se encuentra entre los bailes de la sección ______ La Revolución ______.

4. La sección del programa que incluye canciones románticas se llama

Serenata ______________________.

5. La persona que produce el Ballet Folklórico de México se llama

Amalia Hernández ______________________.

Nombre ______________________________

Fecha ______________________________

IV. ESCRITURA

¿Sabes qué? Tu amigo(a) por correspondencia quiere saber lo que haces los fines de semana. En preparación para escribir la carta, prepara una lista de cinco o más oraciones explicando las actividades que tú y tu familia hicieron el fin de semana pasado. Luce tu español pero sólo usa expresiones que son familiares. *(15 pts.)*

Answers will vary. Sample answer:

El viernes pasado yo salí con mis amigos.

Mis amigos y yo fuimos al cine.

El sábado estudié y hablé con mis amigos.

Mi padré trabajó todo el día.

Mi hermano fue a la casa de un amigo para jugar fútbol.

Mi hermana practicó el piano.

Mi mamá fue de compras y preparó una comida especial.

Comimos muy bien el sábado.

El domingo todos fuimos al parque.

Nombre ______________________________

Fecha ______________________________

PRUEBA

I. COMPRENSIÓN ORAL

De compras. Lee las oraciones. Luego, escucha una conversación telefónica entre Diego y Nena e indica si las oraciones son **Ciertas (C)** o **Falsas (F)**. Escucha la conversación otra vez para verificar tus respuestas. *(1 ea. / 10 pts.)*

(C) F **1.** Diego quiere ir al parque el sábado.
(C) F **2.** Diego invita a Nena a acompañarlo.
C (F) **3.** Nena tiene planes para el domingo.
C (F) **4.** Nena no quiere salir con Diego.
(C) F **5.** Diego está ocupado el primer domingo.
C (F) **6.** Nena ya tiene planes para el próximo fin de semana.
(C) F **7.** Diego no tiene planes para el segundo domingo.
C (F) **8.** Diego y Nena no van al parque.
C (F) **9.** Diego y Nena decidieron ir a tomar café.
(C) F **10.** Van a salir a las once.

SCRIPT:
Diego: Me gustaría ir al parque el sábado. ¿Quieres ir conmigo?
Nena: ¡Ay! Lo siento mucho, pero ya tengo planes. ¿Por qué no vamos el domingo?
Diego: ¡Qué pena! No puedo. Tengo que visitar a mis primos el domingo.
Nena: ¿Y el próximo fin de semana? No estoy ocupada ni el sábado ni el domingo. ¿Y tú?
Diego: Tengo planes para el sábado pero estoy libre el domingo.
Nena: Entonces, ¿vamos al parque?
Diego: ¡Excelente idea! ¿A qué hora?
Nena: ¿A las once?
Diego: Perfecto. Hasta entonces.
Nena: Adiós.

Nombre ____________________

Fecha ____________________

II. LENGUA EN CONTEXTO

A **Invitaciones.** Todo el mundo habla en una recepción de bodas. Selecciona la oración de la columna B que mejor conteste o responda a los comentarios de la columna A. *(1 ea. / 5 pts.)*

A

ch 1. ¿Quieres ir al concierto conmigo el martes?

e 2. ¿Les gustaría acompañarnos al cine?

c 3. Estoy aburrida. No hay nada que hacer hoy.

b 4. Estoy ocupado el viernes. No puedo salir contigo ese día.

a 5. ¿Por qué no vamos de compras el sábado?

B

a. Gracias, pero tengo planes para todo el fin de semana.

b. ¿Puedes salir el sábado?

c. No es verdad. ¿Te gustaría salir a bailar?

ch. Sí, me encanta la música.

d. Sí, me gusta estudiar contigo.

e. ¡Cómo no! ¡Nos encantaría!

B **Es sábado.** ¿Qué pasó el sábado pasado? Completa la conversación con la forma apropiada de los verbos **ser, hacer, dar, ver** o **ir**. *(1 ea. / 10 pts.)*

Elena: ¿Cómo estás? ¿Qué tal el fin de semana? ¿Qué hiciste el sábado?

Clara: Vi a mi amiga Iris y nosotras fuimos de compras al nuevo centro comercial. Iris compró unos discos compactos y me dio uno de Menudo. Luego mi hermana y yo vimos la nueva película venezolana en el Cine Real. ¡Fue estupenda! ¿Qué hicieron tú y Matías?

Elena: El sábado fue el cumpleaños de mi primo Timoteo y todos lo celebramos en casa de mi tía. Matías y yo le dimos regalos cómicos. Lo pasamos muy bien. Fuimos los primeros en llegar y los últimos en salir. ¡Qué buena fiesta!

Nombre ______________________________

Fecha ______________________________

¡DIME! UNO UNIDAD 6 LECCIÓN 2

PRUEBA

III. LECTURA Y CULTURA

Chapala. Lee esta selección y luego indica si las oraciones son **Ciertas (C)** o **Falsas (F)**. *(1 ea. / 10 pts.)*

El lago Chapala

El lago Chapala que está a una hora de la ciudad de Guadalajara, es el lago más grande de México. Este precioso lugar es excepcionalmente popular en el verano. Es un lugar ideal para descansar, dando un paseo en lancha, comiendo al aire libre en uno de los muchos restaurantes económicos o jugando golf en Chula Vista.

El lago está rodeado de muchos pueblos típicos, ideales para ir de compras, como Ocotlán, Ajijic, Jamay y el mismo pueblo de Chapala. Cada pueblo ofrece artesanías típicas, por ejemplo, ropa de algodón y lana, encaje, cerámica, artículos de cuero, etc. El cuatro de octubre es día de fiesta en Chapala. Hay muchas celebraciones especiales ese día.

C (F) **1.** El lago de Chapala está cerca de México, D.F.

(C) F **2.** Chapala es un lago grande.

C (F) **3.** El invierno es la estación favorita para visitar Chapala.

C (F) **4.** En los restaurantes del lago la comida cuesta mucho.

(C) F **5.** Es posible subir a las lanchas en el lago.

C (F) **6.** Para ir de compras es necesario regresar a Guadalajara.

C (F) **7.** No es posible practicar deportes en la región.

(C) F **8.** Chapala no es sólo un lago, es un pueblo también.

(C) F **9.** Venden artículos típicos en los pueblos cerca del lago.

(C) F **10.** En otoño hay un importante día de fiesta en Chapala.

Nombre ______________________________

Fecha ______________________________

IV. ESCRITURA

Un día típico. Un pariente llamó a tu casa ayer y nadie contestó el teléfono. ¿Por qué? Escríbele una carta describiendo lo que hicieron tú y los miembros de tu familia ayer por la mañana, por la tarde y por la noche. Menciona varias cosas que hizo cada uno. Luce tu español pero sólo usa expresiones que son familiares. *(15 pts.)*

Answers will vary. Sample answer:

Querida tía Margarita,

Ayer todos hicimos muchas cosas. Por la mañana mamá y Paulina fueron de compras. Papá y yo limpiamos la casa de abuelita. Por la tarde, salí con mis amigos y papá y mamá fueron al cine. Vieron una nueva película. Paulina estudió en la casa de una amiga. Por la noche, todos fuimos a comer a un restaurante mexicano. ¿Por qué llamaste? Llama otra vez.

Un abrazo,

Nicolás

Nombre ____________________

Fecha ____________________

PRUEBA

I. COMPRENSIÓN ORAL

¡Qué día! Estás escuchando la aventura de una amiga. Escribe un número de uno a cinco debajo de cada dibujo para indicar el orden cronológico de la aventura. Luego escucha otra vez para verificar tus respuestas. *(2 ea. / 10 pts.)*

2

4

3

5

1

SCRIPT:
Hoy tuve un día muy largo. Pasé toda la mañana buscando ropa para un baile en el colegio. Pero no encontré nada. A las doce decidí regresar a casa pero no pude subir al camión porque ya había mucha gente. El camión estaba lleno. Entonces fui a otra tienda que vendía artículos de piel y encontré unos zapatos muy preciosos para mi mamá. Decidí comprárselos porque me gustaron mucho. Como era un poco temprano para el próximo camión, tomé un refresco. ¡Qué bueno fue!

Luego, a la una fui a la parada para esperar el camión. Tuve que esperar mucho tiempo porque llegó tarde. Por fin llegué a casa y le di el regalo a mi mamá. Le encantaron los zapatos. Dice que son muy elegantes y que yo tengo muy buen gusto.

Nombre ______________________________

Fecha ______________________________

II. LENGUA EN CONTEXTO

A **Excusas.** Para saber qué excusas usaron estas personas para no ir a la fiesta de Humberto, completa estas oraciones con los verbos **poder** and **tener que.** *(2 ea. / 10 pts.)*

1. Rodolfo no ____pudo____ ir a la fiesta porque ____tuvo que____ estudiar.
2. Nosotros no ____pudimos____ ir a la fiesta porque ____tuvimos que____ salir de la ciudad.
3. Elena y Martita no ____pudieron____ ir a la fiesta porque ____tuvieron que____ escribir una composición.
4. Yo no ____pude____ ir a la fiesta porque ____tuve que____ limpiar mi cuarto.
5. Tú no ____pudiste____ ir a la fiesta porque ____tuviste que____ practicar el piano.

B **En la fiesta.** Para saber de qué hablan los chicos en las fiestas, completa esta conversación con las formas apropiadas de **venir** o **decir**. *(1 ea. / 5 pts.)*

Joaquín: ¡Ah! Aquí estás. No vi tu coche. ¿Cómo ____viniste____?

Samuel: ____Vine____ con Mario. ¿No te ____dije____? Mi coche está en el garaje.

Joaquín: Ah sí, ahora recuerdo. Tu hermana me ____dijo____ eso ayer. A propósito, ¿____vinieron____ ella y Lourdes?

Samuel: No, todavía no. Van a venir más tarde con Raúl.

Nombre ____________________

Fecha ____________________

¡DIME! UNO UNIDAD 6 LECCIÓN 3

PRUEBA

III. LECTURA Y CULTURA

Leyenda. Lee esta leyenda y luego selecciona la mejor respuesta. *(2 ea. / 10 pts.)*

El origen del lago de Pátzcuaro

Una de las zonas más bonitas de Michoacán, México, es la región del lago de Pátzcuaro, conocida por su vegetación, sus habitantes, sus tradiciones, su historia y su excelente clima.

Hoy el lago de Pátzcuaro es el centro de la comunidad. Algunos dicen que en el pasado no existía un lago en el valle. ¿Y cómo se originó?

Según una leyenda mexicana un día hizo mucho viento en el valle: viento del norte, del sur, del este y del oeste. Luego el viento se convirtió en un huracán. Llovió muy fuerte por días y días y se formaron muchos arroyos de agua cristalina. Con el tiempo el agua de los arroyos formó un lago.

Años más tarde, llegó la tribu de los chichimecas y allí encontraron un majestuoso lago. Estaban muy contentos y decidieron vivir allí cerca del lago. Hicieron del lago el centro simbólico de su cultura.

Hoy en día, muchos descendientes de los chichimecas todavía viven alrededor del lago de Pátzcuaro y se ganan la vida de las riquezas que encuentran en el lago.

1. Pátzcuaro es famoso por . . .

a. su gente.
b. su clima.
c. sus tradiciones.
ch. a, b y c. (circled)

2. La región de Pátzcuaro . . .

a. tiene murales.
b. es hermosa. (circled)
c. tiene mal tiempo.
ch. a, b y c.

3. La leyenda describe la formación de . . .

a. una civilización.
b. un valle.
c. un lago. (circled)
ch. un pueblo.

4. Según la leyenda, un día . . .

a. hizo mal tiempo. (circled)
b. hubo una celebración.
c. llegaron los españoles.
ch. llegaron los aztecas.

5. Los chichimecas . . .

a. salieron del valle de Pátzcuaro.
b. hicieron un lago de agua cristalina.
c. encontraron algo especial en Pátzcuaro. (circled)
ch. a, b y c.

Nombre ______________________________

Fecha ______________________________

IV. ESCRITURA

¡Fue fantástico! ¿Qué pasó la última vez que fuiste de compras? Escribe una lista de lo que pasó. Menciona el lugar, las personas que fueron contigo, lo que compraron, en qué sección, cuánto costó, etc. Luce tu español pero sólo usa expresiones que son familiares. *(15 pts.)*

Answers will vary. Sample answer:

Fui de compras con dos amigos, Marcos y Sara.

Entré en la tienda Gente Guapa.

Fui a la sección de jóvenes.

Encontré una camiseta azul.

Compré una camiseta.

Costó diez dólares.

Mi amigos compraron unos pantalones muy modernos.

Los pantalones costaron solamente veinte dólares.

Salimos de la tienda y fuimos a tomar un refresco.

Nombre ______________________________

Fecha ______________________________

¡DIME! UNO — UNIDAD 6

EXAMEN

I. COMPRENSIÓN ORAL

A **Una cita.** Gregorio y Micaela están hablando de sus planes. Lee las oraciones. Luego, escucha su conversación y selecciona la mejor respuesta. Escucha la conversación otra vez para verificar tus respuestas. *(2 ea. / 10 pts.)*

1. Gregorio invita a Micaela a . . .

a. bailar.

(b.) ver el ballet folklórico.

c. ir al cine.

ch. ver un mural de Orozco.

2. Micaela . . .

(a.) ya tiene planes el viernes.

b. no quiere acompañar a Gregorio.

c. prefiere hacer otra cosa.

ch. no tiene interés en el evento.

3. Deciden ir al evento . . .

a. el viernes.

(b.) el sábado.

c. el viernes y el sábado.

ch. ni el viernes ni el sábado.

4. Gregorio y Micaela deciden . . .

a. ir a un restaurante.

b. salir el viernes.

(c.) salir a las 7:15.

ch. a, b y c.

5. Van al evento . . .

a. a pie.

b. en coche.

c. en taxi.

(ch.) en bus.

SCRIPT:

Gregorio: ¿Te gustaría ir al ballet conmigo?

Micaela: ¡Cómo no! Me encanta la danza folklórica. Fui el año pasado y me gustó mucho. ¿Cuándo es?

Gregorio: Es este fin de semana. ¿Por qué no vamos el viernes?

Micaela: Me gustaría, pero ya tengo planes.

Gregorio: ¿Y el sábado?

Micaela: Perfecto. ¿A qué hora?

Gregorio: Empieza a las ocho y media. ¿Qué tal si paso por ti a las siete y cuarto? Así podemos tomar el autobús de las siete y media.

Micaela: Perfecto. Gracias por la invitación.

Gregorio: Pues, hasta el sábado, entonces.

Micaela: Chao.

Nombre ______________________________

Fecha ______________________________

B **Una carta.** Dorotea está de vacaciones. Lee las oraciones. Luego, escucha su carta e indica si las oraciones son **Ciertas (C)** o **Falsas (F)**. Escucha la carta otra vez para verificar tus respuestas. *(1 ea. / 10 pts.)*

C (F) **1.** Dorotea le escribe a su amiga Julia.

C (F) **2.** Dorotea está en la capital de México.

(C) F **3.** Ayer Dorotea fue a un concierto.

C (F) **4.** El Jardín de la Unión es un restaurante muy popular.

(C) F **5.** El tour incluyó la universidad.

(C) F **6.** El mercado de la ciudad vende cosas típicas.

C (F) **7.** Dorotea no compró nada en el mercado.

(C) F **8.** Hay una calle especial que pasa por debajo de la ciudad.

(C) F **9.** La casa de un muralista famoso está en Guanajuato.

(C) F **10.** Ahora, la casa de Diego Rivera es un museo.

SCRIPT:

Queridos papás,

Ayer llegamos a la ciudad de Guanajuato. Es la capital del Estado de Guanajuato y una de las ciudades más interesantes de México. Un lugar muy popular es el Jardín de la Unión, la plaza principal, donde hay conciertos de banda gratis los domingos. Julia y yo fuimos, claro.

Esta mañana hicimos un tour de la ciudad. Primero vimos la Universidad de Guanajuato, el Teatro Juárez, varias minas de oro y plata, y terminamos en el mercado Hidalgo. Pasamos un rato muy ameno mirando las artesanías. No compré mucho, pero no pude resistir unas figuritas de cerámica.

Un aspecto muy curioso de la ciudad es que no hay metro pero hay una calle subterránea para los automóviles. ¡Es muy diferente!

Mañana vamos a ver la casa donde nació Diego Rivera, un muralista muy famoso. Ahora su casa es museo. Después de la comida vamos a San Miguel de Allende. De allí les escribo más. Los quiero mucho. Reciban un abrazo de su hija,

Dorotea

Nombre ____________________

Fecha ____________________

¡DIME! UNO **UNIDAD 6**

EXAMEN

II. LENGUA EN CONTEXTO

A **En la escuela.** Carlitos acaba de llegar a su casa de la escuela primaria. Su mamá quiere saber lo que hizo. Completa su explicación con el pretérito del verbo entre paréntesis. *(2 ea. / 10 pts.)*

1. Hoy ___leí___ *(leer: yo)* un cuento lindo sobre el perro Bombón.
2. Bombón ___salió___ *(salir)* de su casa por la mañana.
3. El perro ___caminó___ *(caminar)* mucho hasta que encontró a dos chicos muy simpáticos, Roberto e Inés.
4. Los tres ___pasaron___ *(pasar)* la tarde jugando en el parque y tomando helado.
5. Después, Bombón ___regresó___ *(regresar)* feliz, y un poco gordo, a su casa.

B **Una visita.** Rodolfo y Nicolás están hablando de sus actividades el sábado. Completa su conversación con el pretérito del verbo entre paréntesis. *(2 ea. / 20)*

Rodolfo: No te ___vi___ *(ver: yo)* en el concierto ayer. ¿Qué pasó? ¿Por qué no ___fuiste___ *(ir)* ?

Nicolás: No ___pude___ *(poder: yo)* ir porque nosotros ___tuvimos___ *(tener)* unas visitas.

Rodolfo: ¿De veras? ¿Quién ___fue___ *(ser)*?

Nicolás: ___Vinieron___ *(Venir)* mis primos de México justo a la hora del concierto.

Rodolfo: ¿Ah, sí? ¿Qué ___hicieron___ *(hacer)* ustedes?

Nicolás: Pues, ___dimos___ *(dar)* un paseo por la ciudad y llevé a mis primos a comer pizza en nuestro restaurante favorito.

Rodolfo: ¿Y qué ___dijeron___ *(decir: ellos)* del restaurante?

Nicolás: Pues, les ___encantó___ *(encantar)* todo.

Nombre ______________________

Fecha ______________________

III. LECTURA Y CULTURA

¡Guadalajara! Lee esta selección de una guía turística y luego indica si las oraciones son **Ciertas (C)** o **Falsas (F)**. *(2 ea. / 20 pts.)*

Guadalajara: La perla del oeste

Visite Guadalajara, la perla del oeste. Esta ciudad de flores es la segunda ciudad de México en población. Fundada por Juan de Oñate en 1542, se hizo la capital de Jalisco en 1560. Hoy es un centro importante de industria y transporte.

La ciudad ofrece muchas atracciones para los turistas. Tiene muchos excelentes hoteles y restaurantes y patrocina eventos deportivos durante todo el año. Disfruta de un clima templado—hace buen tiempo los 12 meses del año, lo cual favorece la cultivación de sus famosas flores.

Guadalajara es un contraste de arquitectura moderna al lado de arquitectura colonial. El Teatro Degollado, con su famoso ballet folklórico, se construyó en 1855. En el Hospicio de Cabañas, construido en 1804, se pueden ver murales de Orozco. Y allí también se puede visitar la última casa donde vivió Orozco.

Guadalajara se conoce por su música y artesanías. Aquí se originó la música mariachi tan típica de México. Los domingos en el parque Agua Azul hay conciertos al lado de exhibiciones de artesanías.

Hay excursiones todos los días a muchos sitios cercanos de interés turístico. Viajes de un solo día a Tlaquepaque, Tonalá, y al Lago Chapala, entre otros lugares, son muy populares.

Esperamos su visita. Visítenos pronto y disfrute.

(C) F **1.** Guadalajara es famosa por sus flores.

C (F) **2.** Juan de Oñate fundó Jalisco.

(C) F **3.** Guadalajara tiene mucha industria.

(C) F **4.** Guadalajara es un centro de transporte.

C (F) **5.** Nieva mucho en Guadalajara en el invierno.

(C) F **6.** Hay una variedad de arquitecturas en Guadalajara.

C (F) **7.** En el Teatro Degollado hay murales de Orozco.

(C) F **8.** La última casa de Orozco está en Guadalajara.

(C) F **9.** Los turistas pueden comprar cosas típicas en el Parque Agua Azul.

C (F) **10.** Las excursiones a Tonalá son de tres días.

Nombre ______________________

Fecha ______________________

¡DIME! UNO — UNIDAD 6

EXAMEN

IV. ESCRITURA

A **¡Qué divertido!** Necesitas escribir un artículo sobre las últimas vacaciones para el periódico de tu escuela. En preparación para el artículo, escribe varias cosas interesantes que tú y tu familia hicieron y que tú hiciste con tus amigos. *(10 pts.)*

Answers will vary. Sample answer:

Mis amigos y yo fuimos a un concierto.

Mis amigas y yo vimos una nueva película.

Yo aprendí karate.

Mi hermana fue a México.

Mis papás compraron un nuevo coche.

Mi amigo Pablo visitó Nueva York.

Mi amiga Laura trabajó en un restaurante.

Nombre ______________________________

Fecha ______________________________

B **Mi héroe.** Selecciona a una persona famosa que admiras. Imagina lo que hizo ayer y describe su día en un párrafo. Explica lo que hizo por la mañana, por la tarde y por la noche. Luce tu español pero sólo usa expresiones que son familiares. *(20 pts.)*

Answers will vary. Sample answer:

Ayer por la mañana, Michael Jackson practicó el piano. Cantó muchas canciones. Trabajó mucho. Luego fue en avión a París y comió el almuerzo con sus amigos.

Por la tarde regresó a Estados Unidos y habló con otros amigos famosos. Tuvieron una fiesta. Después paseó en bicicleta.

Por la noche, limpió la casa y vio un video de Michael Jackson. También leyó el periódico.

Nombre ______________________________

Fecha ______________________________

¡DIME! UNO UNIDAD 7 LECCIÓN 1

PRUEBA

I. COMPRENSIÓN ORAL

¡Ganaron! Estás escuchando las noticias deportivas en la radio. Marca los deportes que menciona la locutora. Luego escucha otra vez para verificar tus respuestas. *(2 ea. / 10 pts.)*

___ el baloncesto

___ el fútbol

___ el jai alai

_✓_ el tenis

_✓_ el golf

___ la natación

___ el ciclismo

_✓_ el béisbol

_✓_ la gimnasia artística

___ el salto de altura

SCRIPT:
Muchos equipos e individuos locales jugaron hoy y en un momento les tendré los resultados. Pero primero, las noticias mundiales. En La Copa Davis de tenis, ganó el equipo de los Estados Unidos. Felicitaciones a todos por un buen esfuerzo. Y en el campeonato europeo de gimnasia artística, ganaron los hombres rusos y las mujeres japonesas. Aquí en la ciudad hubo un torneo de golf, y el campeón fue el joven Ernesto Rogales. Es la segunda vez que gana un torneo municipal este joven de sólo 19 años. En el campo de béisbol, ganaron los siguientes equipos locales: los Tigres, los Reyes, los Pumas y los Jaguares.

II. LENGUA EN CONTEXTO

A **¡Ganamos!** Juanita está hablando con su profesor de español. Para saber lo que dicen, completa la conversación con la forma apropiada de **practicar**, **oír**, **llegar**, **empezar** o **jugar.** Usa todos los verbos una vez. *(2 ea. / 10 pts.)*

Juanita: ¿___**Oyó**___ usted las noticias?

Sr. Ruiz: No, ___**llegué**___ tarde a la escuela. ¿Qué pasó?

Juanita: Ganamos el partido de volibol ayer y yo ___**jugué**___ casi todo el partido.

Sr. Ruiz: ¿Practicaste mucho?

Juanita: Sí, ___**empecé**___ a practicar el verano pasado y este mes ___**practiqué**___ todos los días.

Sr. Ruiz: Felicitaciones, Juanita.

Nombre ______________________________

Fecha ______________________________

B **Un drama.** Eres director(a) y tienes que escoger actores para un drama. Estás mirando fotos de las personas que quieren participar. ¿Qué comentarios haces? *(1 ea. / 5 pts.)*

1. (Este, <u>Ese</u>, Aquel) chico es gordo. Puede ser Felipe.
2. (Este, Ese, <u>Aquel</u>) chico es rubio. Puede ser Rafael.
3. (<u>Este</u>, Ese, Aquel) chico es alto. Puede ser Paco.

4. (Estas, <u>Esas</u>) chicas son morenas. Pueden ser las tías.
5. (<u>Estas</u>, Esas) chicas son delgadas. Pueden ser las hijas.

Nombre ____________________

Fecha ____________________

PRUEBA

III. LECTURA Y CULTURA

Los pequeños Campeones. Lee el artículo que sigue. Luego indica si las oraciones son **Ciertas (C)** o **Falsas (F)**. *(2 ea. / 10 pts.)*

Felicitaciones Cóndores de Bolivia

El equipo de fútbol infantil, Cóndores de Bolivia, cumplió una excelente campaña en el reciente torneo jugado en el condado de Arlington. El torneo fue organizado por la Asociación de Fútbol de Arlington. Participaron 8 equipos de diferentes instituciones y escuelas públicas y particulares.

Los partidos se efectuaron en el campo de la escuela Gunston en Alexandria, ante la presencia de numerosa cantidad de padres de familia quienes fueron los que más alentaron a los equipos en que jugaban sus hijos.

Algo que es muy importante es que las autoridades del condado y los miembros de la Asociación prestaron amplia colaboración para la realización de este torneo por tratarse de niños, muchos de los cuales son de origen latinoamericano.

(C) F **1.** Los Cóndores de Bolivia ganaron el torneo.

C (F) **2.** Participaron sólo equipos de escuelas públicas.

C (F) **3.** Los equipos jugaron en el campo de una universidad en Arlington.

(C) F **4.** Fueron muchos papás al torneo.

(C) F **5.** Muchos de los jugadores son hispanos.

Nombre ______________________________

Fecha ______________________________

IV. ESCRITURA

Quiero trabajar. Tú quieres trabajar en un campamento este verano. Para conseguir el trabajo, necesitas escribir un párrafo sobre tu participación en los deportes durante el año pasado. Explica también por qué quieres el trabajo. Luce tu español pero sólo usa expresiones que son familiares. *(15 pts.)*

Answers will vary. Sample answer:

El año pasado yo participé en muchos deportes. Jugué tenis en el verano y fútbol en el otoño. En el invierno jugué baloncesto y volibol y en la primavera jugué béisbol con el equipo de la escuela. Me gustan mucho los deportes. Me gustaría trabajar en el campamento porque quiero ser profesor y trabajar con niños. Este trabajo es buena experiencia para el futuro.

Nombre ______________________________

Fecha ______________________________

PRUEBA

I. COMPRENSIÓN ORAL

Sala de emergencia. Lee las oraciones. Luego, escucha una conversación entre un médico y una enfermera en una radionovela. Indica si las oraciones son **Ciertas (C)** o **Falsas (F)**. Escucha la conversación otra vez para verificar tus respuestas. *(1 ea. / 10 pts.)*

C (F) **1.** Ocurrió un accidente en el campo de fútbol.

C (F) **2.** Están lastimadas 15 personas.

(C) F **3.** Los lastimados están en la sala de emergencia.

(C) F **4.** Una de las víctimas tiene 15 años.

C (F) **5.** A un chico le duele la cabeza.

(C) F **6.** Un chico probablemente tiene un brazo roto.

(C) F **7.** Dos hermanos están lastimados.

C (F) **8.** A nadie le duele la pierna.

(C) F **9.** Todas las víctimas necesitan ver al médico.

C (F) **10.** El médico quiere ver al chico primero.

SCRIPT:

Enfermera: ¡Doctor! ¡Doctor! ¡Ocurrió un accidente terrible!
Doctor: ¿Qué pasó?
Enfermera: Chocaron dos coches en la Calle Cisneros.
Doctor: ¿Hubo muchos lastimados?
Enfermera: Sí, cinco personas están esperando en la sala de emergencia. La más urgente es una joven de 15 años.
Doctor: ¿Ah, sí? ¿Qué tiene?
Enfermera: Le duele mucho la cabeza. Parece muy serio. Su hermano también está lastimado gravemente.
Doctor: ¿Qué tiene él?
Enfermera: Parece que tiene el brazo derecho roto—y posiblemente la pierna también.
Doctor: ¿Y los otros?
Enfermera: Están en mejores condiciones, pero también necesitan atención.
Doctor: Bueno. A empezar. Debo ver a la joven primero.

Nombre ____________________

Fecha ____________________

II. LENGUA EN CONTEXTO

A **Entrevista.** Tu profesor(a) de español te hace las siguientes preguntas para conocerte mejor. Contéstalas usando los pronombres del complemento directo. *(2 ea. / 10 pts.)*

1. ¿Hablas español en casa?

Sí, (No, no) lo hablo en casa.

2. ¿Visitas mucho a tus abuelos?

Sí, (No, no) los visito mucho.

3. ¿Vas a hacer tu tarea esta noche?

Sí, (No, no) la voy a hacer./Sí, (No, no) voy a hacerla esta noche.

4. ¿Viste televisión anoche?

Sí, (No, no) la vi anoche.

5. ¿Estás contestando bien estas preguntas?

Sí, (No, no) estoy contestándolas bien./Sí, (No, no) las estoy contestando bien.

B **Ocupada.** ¿Por qué no llamó Carolina a su amiga anoche? Para saberlo, completa la notita con la forma apropiada de los verbos **dar**, **dormir**, **pedir**, **sentir** o **servir**. Usa cada verbo una vez. *(1 ea. / 5 pts.)*

Querida Marcela,

No pude llamarte anoche porque llegamos a casa muy tarde. Fuimos a un restaurante y mi hermano ___pidió___ una hamburguesa. Ellos le ___sirvieron___ algo malo, porque dentro de pocos minutos, Paco ___sintió___ un dolor muy fuerte en el estómago. Fue al médico y él le ___dio___ unas pastillas. Después mi pobre hermano ___durmió___ 12 horas.

Carolina

Nombre ______________________

Fecha ______________________

III. LECTURA Y CULTURA

La salud. Lee esta selección y luego escoge la mejor terminación para cada oración. *(2 ea. / 10 pts.)*

Buenos hábitos para la conservación de la espalda

1. Al levantar objetos, dobla las rodillas, NO la espalda. Levanta objetos con las piernas y levántalos sólo hasta el pecho.
2. Camina en buena postura con la cabeza recta y los dedos de los pies derechos. Usa zapatos cómodos.
3. Al sentarte, usa sillas suficientemente bajas para poner los pies en el piso. Siéntate firmemente contra el respaldo de la silla.
4. Es bueno dormir en una cama firme y con las rodillas dobladas.
5. Haz ejercicio regularmente. El caminar y la natación son buenos ejercicios.

1. Cuando tienes que levantar algo, debes usar (la espalda / las piernas / los brazos).

2. Debes comprar zapatos (deportivos / de moda / cómodos).

3. Cuando te sientas, los pies deben estar en (el piso / el respaldo de la silla / otro objeto).

4. Al dormir, dobla (las rodillas / la espalda / los brazos).

5. Para conservar la espalda, es importante (guardar cama / hacer ejercicio / sentarse muchas horas.).

Nombre ______________________

Fecha ______________________

IV. ESCRITURA

Excusas. Tú eres miembro de un equipo de volibol y no puedes practicar esta tarde. Escríbele una notita al entrenador explicando por qué no vas a la práctica. Menciona varias razones por qué no puedes ir. Luce tu español pero sólo usa expresiones que son familiares. *(15 pts.)*

Answers will vary. Sample answer:

Querido entrenador,

No puedo practicar con el equipo esta tarde porque me duele la cabeza. También tengo mucha tarea y tengo que limpiar mi cuarto porque mis abuelos vienen a comer con nosotros. Tengo que ayudar a mi mamá con la comida. Puedo ir a la práctica mañana.

Rosario

Nombre ______________________________

Fecha ______________________________

PRUEBA

I. COMPRENSIÓN ORAL

¡Qué trabajo! Julio está ayudando a Bárbara a reorganizar su cuarto. Escucha los mandatos de Bárbara y escribe la letra del dibujo apropiado en cada espacio. Luego escucha otra vez para verificar tus respuestas. *(2 ea. / 10 pts.)*

SCRIPT:

1. C 1. Pon el estante al lado del armario.

2. E 2. Pon la mesita entre la cama y la ventana.

3. A 3. Pon el escritorio debajo de la ventana.

4. D 4. Pon la lámpara encima del escritorio.

5. B 5. Pon la mesita a la izquierda de la cama.

Nombre ______________________________

Fecha ______________________________

II. LENGUA EN CONTEXTO

A **Al contrario.** Patricia y Pepito son hermanos muy diferentes. Pepito siempre hace lo contrario de Patricia. Lee la descripción del cuarto de Patricia y describe el cuarto de Pepito. *(1 ea. / 4 pts.)*

1. Patricia pone los libros encima de su escritorio. Pepito pone los libros ___debajo___ de su escritorio.
2. Patricia pone la cómoda lejos del armario. Pepito pone la cómoda ___cerca___ del armario.
3. Patricia pone la lámpara delante del sillón. Pepito pone la lámpara ___detrás___ del sillón.
4. Patricia pone su mesita a la derecha de la cama. Pepito pone su mesita ___a la izquierda___ de la cama.

B **De visita.** Manuela va a visitar a sus abuelos. ¿Qué le dice su mamá? Completa la conversación con los mandatos apropiados de **decir, poner, tener, ir, ser** o **hacer**. *(1 ea. / 6 pts.)*

Mamá: Recuerda, Manuela. Siempre ___di___ "por favor" y "gracias." Y ___haz___ todo lo que te dicen tus abuelos. ___Ve___ a la tienda si tu abuelita necesita algo.
Manuela: Sí, mamá.
Mamá: Y recuerda, siempre ___pon___ tu ropa en el armario y ___ten___ cuidado con los muebles antiguos de abuelita.
Manuela: Sí, mamá.

Mamá: En fin, ___sé___ muy buena muchacha.
Manuela: Claro, mamá. Voy a ser una angelita.

C **Una carta de Manuela.** Manuela le escribe una carta a su mamá de la casa de sus abuelos. Para saber lo que dice completa la carta con el pretérito de los verbos indicados. *(1 ea. / 5 pts.)*

Querida mamá,
Todo va muy bien. El primer día, mis abuelos y yo ___hicimos___ *(hacer)* un pequeño tour del pueblo. ___Vimos___ *(Ver)* unas tiendas preciosas. Yo te ___compré___ *(comprar)* un regalo muy bonito y frágil. Creo que te va a gustar. A mis abuelos les ___encantó___ *(encantar).* Lo ___puse___ *(poner: yo)* en mi maleta para cuidarlo bien. Te escribo más luego.
Un abrazo muy fuerte de Manuela

Nombre ______________________

Fecha ______________________

¡DIME! UNO — UNIDAD 7 LECCIÓN 3

PRUEBA

III. LECTURA Y CULTURA

Jugador de la semana. Lee estos datos de una entrevista con el delantero de los Tecos, Ricardo Chávez Medrano, y luego indica si las oraciones son **Ciertas (C)** o **Falsas (F)**. *(1 ea. / 10 pts.)*

RICARDO CHÁVEZ MEDRANO

FECHA Y LUGAR DE NACIMIENTO: *17 de abril de 1967, en Chihuahua, Chihuahua, México.*
COLOR DE OJOS: *Oscuros.*
ESTADO CIVIL: *Casado.*
OTRA ACTIVIDAD APARTE DEL FÚTBOL. *Tomo clases de canto.*
NÚMERO DE HERMANOS: *Siete.*
PRIMER ENTRENADOR: *Raúl Basurto.*
LESIONES: *Tres: en la pierna, en la cara y en el pie.*
CUALIDADES: *Buen cabeceador, tengo movilidad, voy a todos los balones.*
DEFECTOS: *Practicar más con la pierna izquierda.*
COLOR FAVORITO: *Rojo.*
AUTO PREFERIDO: *Cavalier Z-24 (el mío).*
PASATIEMPO FAVORITO: *Salir con mi esposa al cine.*
ACTOR PREFERIDO: *Arnold Schwarzenegger.*
ACTRIZ PREFERIDA: *Victoria Ruffo.*
OTROS DEPORTES: *Jai alai y volibol.*
LUGAR FAVORITO PARA VACACIONES: *La playa de Puerto Vallarta.*

C (F) **1.** Ricardo Chávez Medrano es de Guadalajara.
(C) F **2.** Tiene esposa.
(C) F **3.** A Ricardo le gusta cantar.
(C) F **4.** Es de una familia de ocho hijos.
C (F) **5.** Raúl Basurto juega en el mismo equipo.
(C) F **6.** Fue lastimado en tres partes del cuerpo.
C (F) **7.** Tiene problemas con el cabezazo.
(C) F **8.** Le gusta ver películas.
C (F) **9.** Sólo juega fútbol y tenis.
C (F) **10.** Nunca tiene tiempo para ir de vacaciones.

Nombre ______________________

Fecha ______________________

IV. ESCRITURA

¡Así quiero mi cuarto! Tú estás en un campamento cuando recibes una carta de tu mamá. Ella quiere reorganizar tu cuarto. Escríbele una carta explicándole dónde quieres los muebles. Menciona un mínimo de seis muebles. Luce tu español pero sólo usa expresiones que son familiares. *(15 pts.)*

Answers will vary. Sample answer:

Querida mamá,

¿Cómo estás? Quiero mi cuarto así. Pon la cama debajo de la ventana. Pon la mesita al lado de la cama. Pon la lámpara encima de la mesita. Pon el estante a la derecha del armario. Pon los libros en el estante. Pon el sillón cerca de la puerta. Y pon el escritorio al lado de sillón. Gracias.

Un abrazo de

Nombre ____________________

Fecha ____________________

¡DIME! UNO — UNIDAD 7

EXAMEN

I. COMPRENSIÓN ORAL

A **Una entrevista.** Una reportera está entrevistando a Roque Durán. Lee las oraciones. Luego, escucha la entrevista y selecciona la mejor respuesta. Escucha la entrevista otra vez para verificar tus respuestas. *(2 ea. / 10 pts.)*

1. El deporte principal de Roque es . . .

- **a.** el tenis.
- **(b.)** el baloncesto.
- **c.** la natación.
- **ch.** la lucha libre.

2. Empezó a jugar . . .

- **(a.)** a los 7 años.
- **b.** a los 10 años.
- **c.** a los 17 años.
- **ch.** en la universidad.

3. En un partido Roque se rompió . . .

- **a.** la nariz.
- **(b.)** el brazo.
- **c.** la pierna.
- **ch.** el pie.

4. Roque oyó los resultados del partido . . .

- **a.** en la radio.
- **b.** en la televisión.
- **(c.)** en el hospital.
- **ch.** en el gimnasio.

5. Además de los deportes, a Roque le gusta . . .

- **a.** el arte.
- **b.** el teatro.
- **c.** el cine.
- **(ch.)** la música.

SCRIPT:

Reportera: ¿Cuándo empezaste a jugar baloncesto?
Roque: Siempre tuve interés pero realmente empecé a jugar cuando tenía siete años. Jugué con el equipo del colegio.
Reportera: ¿Cuál fue el partido más emocionante que jugaste?
Roque: Creo que el más impresionante fue cuando me rompí el brazo derecho.
Reportera: ¿Ah sí? Dime, ¿qué pasó?
Roque: Pues, al lanzar el balón, choqué con un delantero del otro equipo. Me caí al suelo y no pude levantarme. En el hospital me dijeron que el brazo estaba roto.
Reportera: ¿Ganaron el partido?
Roque: Fue increíble. La pelota que yo lancé dio con el cesto—y ganamos por dos puntos. Lo oí en el hospital. El médico me lo dijo.
Reportera: Además del baloncesto, ¿cuáles son tus pasatiempos favoritos?
Roque: Pues, me encantan todos los deportes, especialmente el tenis y la natación. Pero también me gusta leer y cantar.
Reportera: ¿De veras? ¿Qué clase de música cantas?
Roque: La música latina—sobre todo las baladas románticas. Mi hermano tiene una banda y a veces canto con ellos.
Reportera: ¡Qué interesante, Roque! Muchas gracias por la entrevista.
Roque: Fue un placer.

Nombre ______________________________

Fecha ______________________________

B **Mi cuarto.** Fernando está describiendo su cuarto. Lee las oraciones. Luego, escucha su descripción e indica si el cuarto que ves es "diferente" o "no diferente" que la descripción. Escucha la descripción otra vez para verificar tus respuestas. *(2 ea. / 10 pts.)*

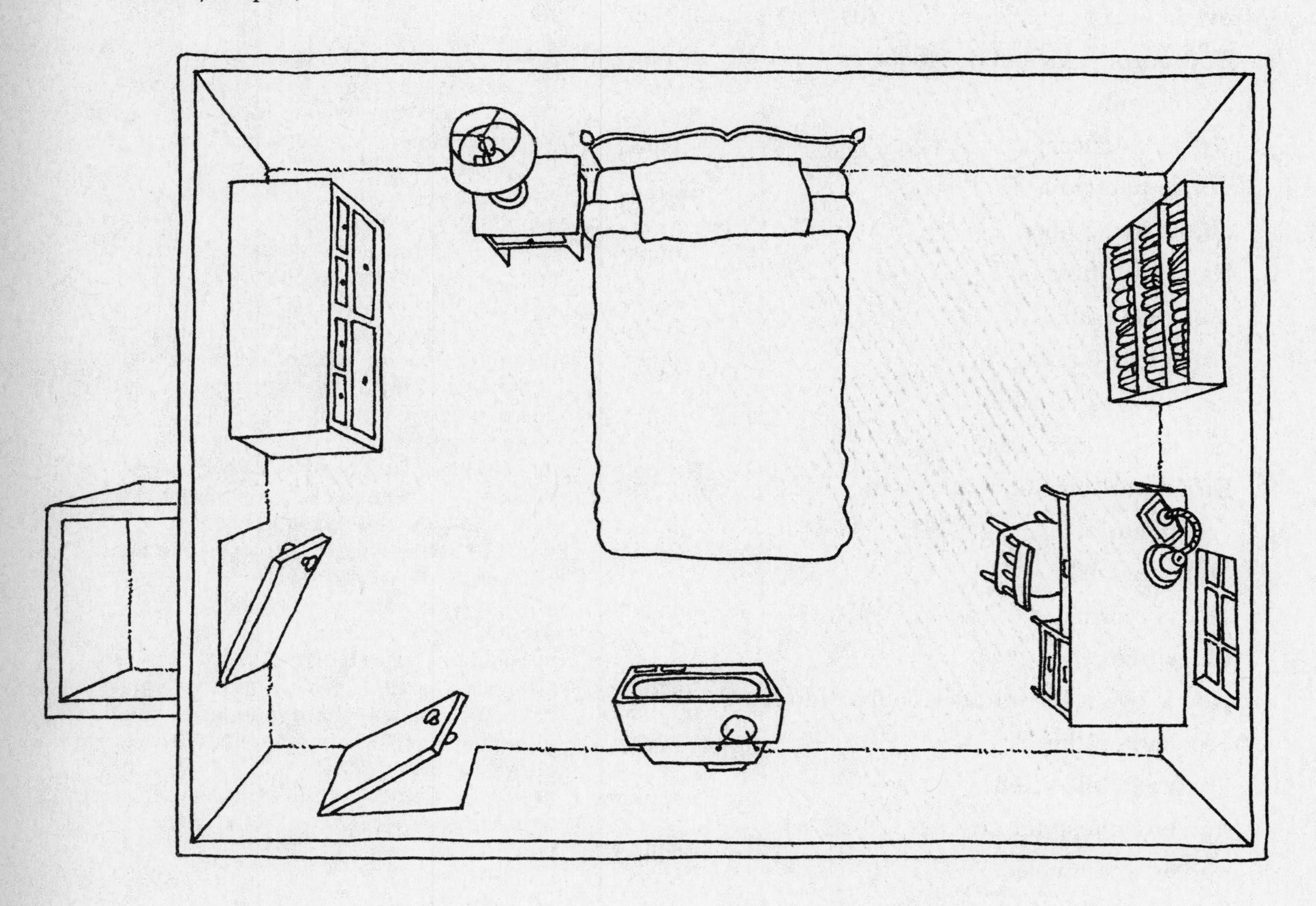

	diferente	*no diferente*
1.	☑	☐
2.	☐	☑
3.	☑	☐
4.	☐	☑
5.	☐	☑

SCRIPT:

1. La cama está debajo de la ventana.

2. La lámpara está en la mesita.

3. Hay un sillón delante de la puerta.

4. El estante está cerca del escritorio.

5. Encima del escritorio, hay una lámpara.

Nombre ______________________

Fecha ______________________

¡DIME! UNO **UNIDAD 7**

EXAMEN

II. LENGUA EN CONTEXTO

A **Una visita.** Mireya está describiendo la visita de su prima. Para saber lo que dice, completa el párrafo con el pretérito del verbo entre paréntesis. *(2 ea. / 10 pts.)*

Rosario, mi prima de México ___vino___ *(venir)* a visitarnos por dos semanas. Yo ___llegué___ *(llegar)* a conocerla muy bien. Como tengo mucho espacio, ella ___durmió___ *(dormir)* en mi cuarto. Ella y yo la pasamos muy bien. La última noche de su visita, mi mamá nos ___sirvió___ *(servir)* una comida de despedida muy especial. Cuando mi prima salió para México yo ___sentí___ *(sentir)* mucha tristeza. La voy a extrañar mucho.

B **Princesa.** La perrita Princesa hizo algo malo. ¿Qué le dice Miguel? Completa las oraciones con el mandato de **salir, ser, hacer, ir** o **venir**. *(2 ea. / 10 pts.)*

1. Princesa, ___ven___ acá ahora mismo.
2. ___Haz___ lo que te digo.
3. ___Sal___ de la casa inmediatamente.
4. ___Ve___ directamente al garaje.
5. ___Sé___ buena todo el día.

C **Banquete deportivo.** Dos padres están hablando antes de un banquete deportivo del colegio. Completa la conversación con las expresiones más apropiadas. *(1 ea. / 10 pts.)*

León: Hola, José. ¿Dónde está tu hijo? No __1__ veo.

José: Es __2__ chico, en la camisa del número cinco.

León: ¡Ah sí! __3__ que está al lado __4__ entrenador.

José: ¿Y tus hijas?

León: Están allí enfrente porque van a __5__ primero.

José: Ah, mira, León. Están __6__ ahora.

León: ¡Caramba! Mira __7__ trofeos enormes. ¿Dónde __8__?

José: __9__ en el garaje con tus trofeos, ¡ja, ja!

León: Cállate. El próximo es tu hijo. ¿No __10__?

1.	el	un	(lo)
2.	(aquel)	aquella	esta
3.	Éste	(Ése)	Un
4.	el	(del)	de
5.	las llamar	las llaman	(llamarlas)
6.	(llamándolas)	llamándolos	las llamando
7.	estas	esas	(esos)
8.	(los voy a poner)	las voy a poner	voy a poner
9.	Ponlas	(Ponlos)	Los pongo
10.	quieres vernos	quieres verlos	(quieres verlo)

Nombre ____________________

Fecha ____________________

III. LECTURA Y CULTURA

Las artes marciales. Lee esta selección sobre las artes marciales y luego indica si las oraciones que siguen son **Ciertas (C)** o **Falsas (F)**. *(2 ea. / 20 pts.)*

Muchas personas, en su mayoría hispanos, se presentan dos o tres veces a la semana en centros comunales, iglesias o escuelas privadas para aprender su arte marcial favorita. Sus figuras en blanco representan una moda que está captivando a los jóvenes.

Hay muchos tipos, entre ellos, *kenpo karate, shotokan karate, kung fu, tae kwon do, judo* y *muay thai* para enumerar algunos. "Hay tantos tipos como hay diferentes acentos en español", afirma Norberto Pérez, cinturón negro de 36 años. Pérez necesitó 19 años para conseguir el tercer nivel de cinturón negro en *shotokan karate*.

Algunos de los tipos son más agresivos que otros. *Muay thai*, por ejemplo, es un deporte muy violento. Está relacionado con el boxeo pero incluye el uso de los pies para patear. Sin embargo la mayoría de las artes marciales tienen como fundamento la disciplina mental y espiritual. Todas, sin excepción, requieren años de dedicación.

El *tae kwon do* es un arte marcial muy popular. Se calcula que un millón de personas en los Estados Unidos lo practican. Una indicación de su importancia es que ahora está incluido en los Juegos Olímpicos.

La práctica de las artes marciales es positiva. Según un maestro, "El *tae kwon do* ayuda a tener un sentido de identidad e inspira la confianza y la disciplina, que es muy importante. Es una actividad física y espiritual. Ofrece a los jóvenes una razón. Les permite invertir sus energías en algo positivo. Los saca de la calle y los separa del mundo de las drogas".

(C) F **1.** Hay clases de artes marciales en varios lugares de la comunidad.

(C) F **2.** Muchos hispanos toman clases de artes marciales.

C (F) **3.** Norberto Pérez está empezando a estudiar *shokotan karate.*

(C) F **4.** Tienes que pensar al practicar un arte marcial.

C (F) **5.** El boxeo es un arte marcial.

(C) F **6.** La práctica es muy importante en las artes marciales.

C (F) **7.** Nadie practica las artes marciales en los Juegos Olímpicos.

C (F) **8.** Pocas personas en los Estados Unidos practican el *tae kwon do.*

Ahora, basándote en el mismo artículo, selecciona la mejor respuesta para las oraciones que siguen.

9. La idea principal del último párrafo es:
   - **a.** A los jóvenes les gustan las artes marciales.
   - **b.** Las artes marciales ayudan a los instructores.
   - **(c.)** Las artes marciales son buenas para los jóvenes.

10. El mejor título para este artículo es:
   - **(a.)** La popularidad de las artes marciales entre los hispanos.
   - **b.** Los tipos de artes marciales en los Estados Unidos.
   - **c.** Cómo conseguir un cinturón negro.

Nombre ______________________

Fecha ______________________

UNIDAD 7

EXAMEN

IV. ESCRITURA

A **¡Qué futbolista!** Después de un partido de fútbol, tienes que entrevistar a un(a) jugador(a) famoso(a). Prepara un mínimo de cinco preguntas para la entrevista. *(2 ea. / 10 pts.)*

Answers will vary. Sample answer:

¿Cuándo empezaste a jugar fútbol?

¿De dónde eres?

¿Cuántos años tienes?

¿Cuál fue tu primer equipo?

¿Con quién te gusta jugar?

¿Qué posición prefieres?

Nombre ______________________________

Fecha ______________________________

B **¡Qué emocionante!** Trabajas para un periódico y necesitas escribir un artículo sobre un evento deportivo. Menciona los participantes, lo que pasó y los resultados. *(20 pts.)*

Answers will vary. Sample answer:

El viernes por la noche hubo un partido de fútbol en la escuela Central. Los Tigres jugaron contra los Jaguares. Fue un partido muy emocionante. Pedro Martín, un jugador de los Tigres, metió dos goles. Jugó bien pero se rompió el brazo al final del partido. Tuvo que ir al hospital, pero los Tigres ganaron 3 a 1. ¡Felicitaciones, Tigres!

Nombre ____________________

Fecha ____________________

PRUEBA

I. COMPRENSIÓN ORAL

¡Lista para salir! Estás escuchando un anuncio en la radio. Escucha lo que dice. Luego escribe un número de uno a cinco debajo de cada dibujo para indicar el orden de las actividades de la señora del anuncio. Escucha el anuncio otra vez para verificar tus respuestas. *(2 ea. / 10 pts.)*

1. 5

2. 2

3. 4

4. 1

5. 3

SCRIPT:
Hola, radioyentes. Quiero contarles un secreto de mi vida. Después de trabajar duro todo el día regreso a casa muy cansada y me siento en mi sillón favorito. Prefiero no moverme, pero tengo que salir. ¿Qué hago? Pues, me ducho tranquilamente y me arreglo para salir. Me pinto la cara, me peino y me pongo un vestido elegante. Luego, lo más importante, me pongo el perfume "Nuevas brisas." ¡Aaah! ¡Me siento como nueva! ¡Lista para salir y divertirme a las mil maravillas!

Nombre ____________________

Fecha ____________________

II. LENGUA EN CONTEXTO

A **Mis hábitos.** ¿Cómo son tus hábitos personales? Contesta las preguntas usando la versión correcta de estas palabras. No se permite usar la misma palabra más de una vez. *(2 ea. / 6 pts.)*

VOCABULARIO ÚTIL:

cuidadoso	**elegante**	**frecuente**	**informal**
infrecuente	**lento**	**rápido**	

Answers will vary. Sample answers:

1. ¿Cómo te arreglas?

   Me arreglo rápidamente (cuidadosamente, etc.)

2. ¿Cómo te vistes todos los días?

   Me visto elegantemente (informalmente, etc.).

3. ¿Con qué frecuencia te lavas el pelo?

   Me lavo el pelo frecuentemente (infrecuentemente).

B **¡Qué flojos!** Los miembros de la familia de Daniel nunca quieren levantarse temprano. Según Daniel, ¿cuándo empiezan su día? Contesta usando la forma apropiada de **levantarse**. *(1 ea. / 3 pts.)*

1. Tomás ___se levanta___ a las nueve y media.
2. Memito y la niña ___se levantan___ a las once.
3. Mamá y yo ___nos levantamos___ a las diez.

C **¿Dónde lo pongo?** Necesitas explicarle a tu hermanito(a) cómo poner la mesa. Describe la mesa que ves en el dibujo. *(1 ea. / 6 pts.)*

1. ___La taza (el platillo)___ está a la derecha de la cuchara.
2. ___El tenedor (la servilleta)___ está a la izquierda del plato.
3. ___La servilleta___ está debajo del tenedor.
4. ___El platillo___ está debajo de la taza.
5. ___La cuchara (el plato)___ está al lado del cuchillo.
6. ___El plato___ está entre los cubiertos.

Nombre ______________________________

Fecha ______________________________

PRUEBA

III. LECTURA Y CULTURA

La comida más importante. Lee el artículo que sigue. Luego indica si las oraciones son **Ciertas (C)** o **Falsas (F)**. *(2 ea. / 10 pts.)*

Come un mejor desayuno

La primera comida del día es, para mucha gente, una verdadera catástrofe. Muchas personas no comen nada y otras comen alimentos no nutritivos, como el pan con mucha mantequilla y mermelada o bizcochos.

Estas negligencias son graves. A las 11 de la mañana, los accidentes de trabajo son frecuentes y la gente sufre dolores de cabeza, todo por no comer. Estudios recientes comprueban los efectos negativos de no desayunar sobre el trabajo de los niños en la escuela.

Los especialistas en dietas recomiendan un buen desayuno que incluye proteínas, como se encuentran en los productos lácteos (leche, queso, yogurt), los huevos y el jamón.

También es necesario tomar líquidos (jugos de fruta, café, té, agua, leche) y es recomendable comer frutas con su fibra y sus vitaminas.

En fin, el desayuno es una comida muy importante para el cuerpo y la salud general. ¡Cómelo todos los días!

C (F) **1.** El desayuno es la comida favorita de muchas personas.

(C) F **2.** Es malo comer mucha mantequilla.

(C) F **3.** El no desayunar causa problemas en el trabajo y en la escuela.

(C) F **4.** Hay proteína en la leche.

C (F) **5.** Es malo tomar café con el desayuno.

Nombre ______________________

Fecha ______________________

IV. ESCRITURA

De vacaciones. Estás escribiéndole una carta a tu amigo(a) por correspondencia. En un párrafo, describe tu rutina diaria cuando estás de vacaciones. Incluye lo que haces por la mañana, por la tarde y por la noche. Luce tu español pero sólo usa expresiones que son familiares. *(15 pts.)*

Answers will vary. Sample answer:

Cuando estoy de vacaciones, me levanto muy tarde. Desayuno tranquilamente. Me ducho lentamente y me pongo ropa muy informal. A veces no me peino en todo el día. Siempre salgo con mis amigos. A veces vamos al parque por la mañana y al cine por la tarde. O jugamos tenis o fútbol o hablamos con las chicas. En la noche veo televisión y me acuesto muy tarde. Me gustan las vacaciones.

Nombre ______________________________

Fecha ______________________________

¡DIME! UNO — UNIDAD 8 LECCIÓN 2

PRUEBA

I. COMPRENSIÓN ORAL

Mercado del momento. Estás escuchando un programa de compra y venta en la radio. Lee las oraciones. Luego indica si las oraciones son **Ciertas (C)** o **Falsas (F)**. Escucha la conversación otra vez para verificar tus respuestas. *(1 ea. / 10 pts.)*

C (F) **1.** La señora que llama quiere comprar una casa.

(C) F **2.** La abuela vive con la familia.

C (F) **3.** Hay 4 personas en la familia.

C (F) **4.** La señora necesita 3 alcobas.

(C) F **5.** La cocina debe ser grande.

(C) F **6.** Le gustaría un comedor separado.

(C) F **7.** Quieren una sala cómoda para recibir visitas.

C (F) **8.** Prefieren un garaje grande.

C (F) **9.** Para hablar con la señora Galindo, una persona debe llamar a la estación de radio.

C (F) **10.** El número de la señora. Galindo es el 68–22–31.

SCRIPT:

Locutor: Y la próxima llamada es de una señora que acaba de llegar a la ciudad. Bienvenida al "Mercado del momento."

Llamadora: Buenos días. Mi familia y yo queremos alquilar un apartamento.

Locutor: ¿Qué clase de apartamento buscan ustedes?

Llamadora: Pues, tenemos 3 hijos y mi mamá también vive con nosotros, así que necesitamos 4 alcobas.

Locutor: Es evidente que necesitan una casa bastante grande.

Llamadora: Sí, y también preferimos una cocina grande con un comedor separado. Y para las visitas, una sala cómoda.

Locutor: ¿Necesitan un garaje?

Llamadora: No, no tenemos coche.

Locutor: ¿Y a qué número debe llamar una persona que tenga un apartamento para alquilar?

Llamadora: Puede llamar al 68–22–21 y preguntar por la señora Galindo.

Nombre ______________________________

Fecha ______________________________

II. LENGUA EN CONTEXTO

A **¡Buenísimo!** Ana fue a un restaurante tan bueno que siempre lo describe en superlativos. ¿Cómo describe ella el restaurante? *(2 ea. / 6 pts.)*

Pablo: ¿Te gustó el restaurante?

Ana: Sí, estuvo elegantísimo.
(elegante)

Pablo: ¿Qué tal el servicio?

Ana: Los camareros estuvieron simpatiquísimos.
(simpático)

Pablo: ¿La pasaste bien?

Ana: Claro que sí. Yo estuve contentísima.
(contento)

B **¡Qué curiosos!** Dos criaturas acaban de llegar de otro planeta. ¿Cómo se comparan? Completa las oraciones para compararlas. *(3 ea. / 9 pts.)*

TOTO **MOMO**

1. El pelo de Momo es más largo (menos corto) que el pelo de Toto.

2. La cabeza de Toto es tan grande como la cabeza de Momo.

3. Los brazos de Momo son más cortos (menos largos) que los brazos de Toto.

Nombre ______________________________

Fecha ______________________________

PRUEBA

III. LECTURA Y CULTURA

Una manzana al día. Lee esta selección y luego selecciona la mejor terminación para cada oración. *(2 ea. / 10 pts.)*

Hay un refrán que dice: una manzana al día mantiene lejos al doctor. ¿Por qué? Porque las manzanas son frutas y las frutas son uno de los mejores elementos en una dieta saludable. Todos sabemos que las frutas tienen muy buen sabor y son nutritivas. ¿Qué más debemos saber sobre las frutas?

El atractivo de las frutas (además de su sabor) es que sus propiedades nutritivas ayudan a reducir la posibilidad de enfermedad. Las frutas tienen fibra, minerales, vitaminas, carbohidratos y otros promotores de buena salud. Además, la fruta tiene muy poca grasa, a veces nada, y pocas calorías—dos elementos muy importantes en una dieta para adelgazar.

Aprovéchese de frutas con alto contenido de vitamina C, naranjas, melones, fresas y papayas. Éstas también tienen un alto contenido de potasio.

En el mercado, seleccione frutas frescas y enteras. El valor nutritivo de las frutas puede perderse al pelarlas, cortarlas, cocinarlas, hacerlas puré o exponerlas al aire y luz.

De modo que si está buscando una manera de incorporar más fibra y carbohidratos en su dieta sin aumentar grasas y colesterol, considere las frutas.

1. Todo el mundo sabe que las frutas . . .
- **a.** son nutritivas.
- **b.** son saludables.
- **c.** tienen muy buen sabor.
- (**ch.**) a, b y c.

2. Las frutas . . .
- **a.** causan enfermedades.
- **b.** tienen mucha grasa.
- (**c.**) tienen pocas calorías.
- **ch.** tienen pocos carbohidratos.

3. Las fresas contienen . . .
- **a.** vitamina C.
- **b.** potasio.
- **c.** fibra.
- (**ch.**) a, b y c.

4. Para no reducir el valor nutritivo de las manzanas, debes . . .
- (**a.**) comerlas frescas.
- **b.** cocinarlas antes de comerlas.
- **c.** cortarlas y exponerlas al aire.
- **ch.** a, b y c.

5. El mejor título para este artículo es . . .
- **a.** Una visita al doctor.
- (**b.**) Las frutas son buenas y saludables.
- **c.** Las frutas tienen vitamina C.
- **ch.** La nutrición para hoy.

Nombre ______________________

Fecha ______________________

IV. ESCRITURA

Mi casa ideal. ¿Cómo es tu casa ideal? Descríbela en detalle incluyendo información sobre los cuartos y los muebles. Luce tu español pero sólo usa expresiones que son familiares. *(15 pts.)*

Answers will vary. Sample answer:

Mi casa ideal tiene 10 cuartos. Tiene dos salas elegantes con muchos sillones y sofás. Todos los muebles son comodísimos. La casa tiene una cocina grandísima. En el comedor hay una mesa enorme. Mi casa tiene 4 alcobas y 2 baños. Cada alcoba tiene una cama grande con un televisor. Me gusta mucho mi casa ideal.

Nombre ______________________________

Fecha ______________________________

PRUEBA

I. COMPRENSIÓN ORAL

¡Qué delicioso! Julio está ayudando a María a preparar su receta favorita para el pollo. Escucha lo que dice. Escribe un número de uno a seis debajo de cada ingrediente para indicar el orden en que los va a usar. Luego escucha otra vez para verificar tus respuestas. *(2 ea. / 10 pts.)*

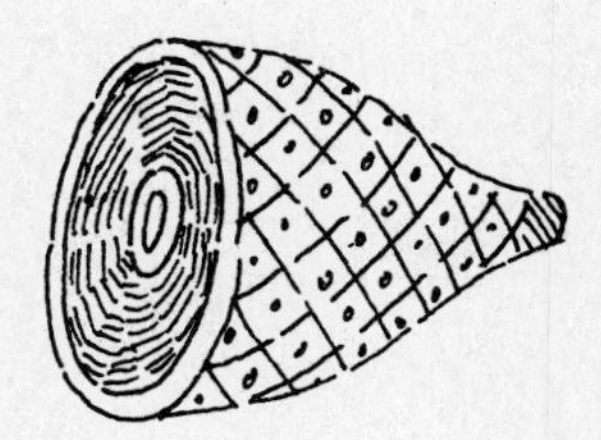

1. ___5___

4. ___3___

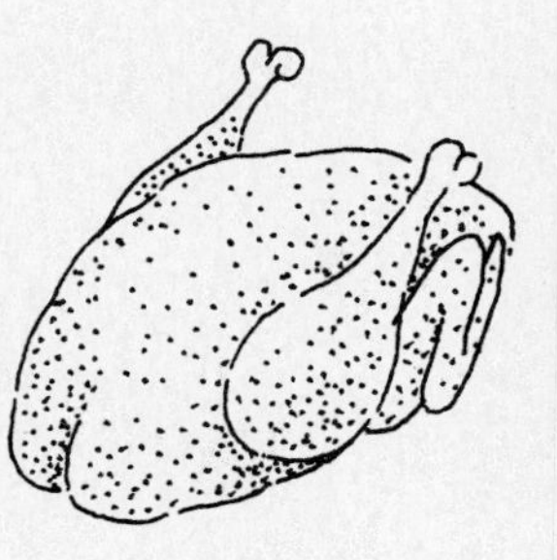

2. ___2___

5. ___1___

3. ___6___

6. ___4___

SCRIPT:
Primero necesito el aceite porque tengo que freír el pollo. Julio, ¿me lo das, por favor? Gracias. Ahora, el pollo. Bueno. Ahora estoy lista para el tomate. Gracias. Y también necesito la cebolla. Mmmm. Huele rico, ¿no? A ver, dame el jamón. Me encanta el sabor de jamón con el pollo. Gracias. Y finalmente, pásame la sal. Perfecto. Pronto podemos probar este plato delicioso. Es mi favorito.

Nombre ______________________________

Fecha ______________________________

II. LENGUA EN CONTEXTO

A **Los sábados.** René está describiendo lo que hace su familia los sábados. Para saber lo que dice, completa el párrafo con *el presente* de los verbos indicados. *(1 ea. / 5 pts.)*

Todos los sábados mis hermanos y yo ___nos levantamos___ *(levantarse)* muy tarde. Mis padres casi siempre ___tienen___ *(tener)* que trabajar en casa, y nosotros también. Pero por la tarde, ___salimos___ *(salir)* a jugar con nuestros amigos. En la noche, toda la familia ___se acuesta___ *(acostarse)* tarde y yo ___me duermo___ *(dormirse)* en seguida.

B **El nuevo restaurante.** Un locutor de radio está presente para la inauguración de un nuevo restaurante. ¿Qué dice al describir lo que pasa? Usa *la forma progresiva* de **comer, leer, pagar, sentarse** y **servir**. *(1 ea. / 5 pts.)*

¡Buenas noches radioyentes! El programa esta noche viene directamente de un nuevo restaurante en el centro de la ciudad—Buen Provecho. Todos los clientes parecen estar muy contentos. Unos ___están___ ___sentándose (se están sentando)___ mientras otros ___están___ ___leyendo___ el menú. Yo ya ___estoy___ ___comiendo___ unos entremeses riquísimos. A mi lado, un camarero ___está___ ___sirviendo___ una sopa de ajo que huele sabrosa. El primer cliente del nuevo restaurante acaba de terminar y ya ___está___ ___pagando___ la cuenta. Parece feliz. Pero ahora, escuchen ustedes esta canción y pronto les cuento más.

C **Una excursión.** ¿Qué dice Nena de su viaje? Para saberlo, completa la conversación con *el pretérito* de los verbos indicados. *(1 ea. / 5 pts.)*

Nena: Acabo de regresar de un viaje interesantísimo.

Memo: ¿Ah sí? ¿Adónde ___fuiste___ *(ir)*?

Nena: ___Hice___ *(Hacer)* una excursión a Toledo con mi familia.

Memo: ¿Qué ___vieron___ *(ver)* ustedes?

Nena: Muchas cosas. Un lugar muy interesante ___fue___ *(ser)* la casa del Greco. Nos ___gustó___ *(gustar)* mucho.

Nombre ____________________

Fecha ____________________

PRUEBA

III. LECTURA Y CULTURA

A la cocina. Lee esta receta y luego indica si las oraciones son **Ciertas (C)** o **Falsas (F)**. *(2 ea. / 10 pts.)*

Pescado con arroz

Ingredientes:

- 3 cucharadas de aceite
- 3/4 taza de cebollas picadas
- 1/2 taza de apio picado
- 1 diente de ajo, molido
- 1/2 taza de arroz
- 3 1/2 tazas de tomates estofados
- 1 cucharadita de pimienta
- 1/2 cucharadita de sal
- 1/8 cucharadita de pimienta cayena
- 1 libra de filetes de pescado (cualquier pescado de carne firme)

Preparación

1. En una sartén grande, calienta el aceite, fríe la cebolla, el apio y el ajo. Agrega el arroz, fríe cerca de 5 minutos.
2. Agrega los tomates con su jugo, la pimienta, la sal y la pimienta cayena. Pon la mezcla de arroz sobre el pescado. Cubre con papel aluminio y cocina en un horno a 400 grados por 45–50 minutos.
3. Deja estar por 5 minutos antes de servir. Se puede adornar con limón.

Ⓒ F **1.** Esta receta requiere más pimienta que sal.

C Ⓕ **2.** Para freír los ingredientes, hay que usar mantequilla.

Ⓒ F **3.** Se cocinan juntos el arroz, la cebolla y el ajo.

C Ⓕ **4.** Se prepara el pescado antes del arroz.

Ⓒ F **5.** Este plato está listo para servir en aproximadamente una hora.

Nombre ______________________________

Fecha ______________________________

IV. ESCRITURA

¡Así comemos! Tu compañero(a) por correspondencia quiere saber más de las costumbres de tu familia. Escríbele una carta explicándole varias comidas típicas en tu familia y las horas en que comen. Luce tu español pero sólo usa expresiones que son familiares. *(15 pts.)*

Answers will vary. Sample answer:

Querido(a) ______.

En mi familia, desayunamos a las seis y media. Generalmente, comemos huevos, pan y leche. Para el almuerzo, yo como en la escuela a las once y media. Cada día la comida es diferente—a veces sándwiches, a veces pizza. Por la noche, cenamos en casa. Esta comida es más grande que el almuerzo. Comemos carne y legumbres con pan y mantequilla. A veces tenemos postre. ¿Y tú? Escríbeme pronto.

Saludos de tu amigo(a)

Nombre ______________________________

Fecha ______________________________

UNIDAD 8

EXAMEN

I. COMPRENSIÓN ORAL

A **¡Qué divertido!** Marcos está describiendo sus actividades. Escucha lo que dice y escribe un número de uno a cinco en el espacio debajo de cada dibujo para indicar el orden de sus actividades. Escucha su descripción otra vez para verificar tus respuestas. *(2 ea. / 10 pts.)*

3

1

5

2

4

SCRIPT:
Lo pasé muy bien el sábado pasado. Dormí hasta muy tarde. No me levanté hasta las nueve y media y luego tuve que apurarme mucho. Me arreglé rápidamente y salí corriendo para encontrar a Raquel en nuestro restaurante favorito. Desayunamos y luego fuimos al cine. Fue un día fantástico.

Nombre ____________________

Fecha ____________________

B **No sé qué hacer.** Vas a escuchar un programa de radio en España. Lee las oraciones. Luego, escucha el programa e indica si las oraciones son **Ciertas (C)** o **Falsas (F)** Escucha otra vez para verificar tus respuestas. *(2 ea. / 10 pts.)*

C (F) **1.** La señora escribe una carta porque tiene un problema con sus hijos.

C (F) **2.** Unos jóvenes norteamericanos no quieren comer.

(C) F **3.** Los jóvenes tienen hambre antes de la hora de la comida española.

C (F) **4.** María Elena recomienda cambiar la hora de la comida.

(C) F **5.** La señora debe prepararles sándwiches a los jóvenes.

SCRIPT:
La próxima carta es de una señora que tiene una pensión donde viven unos jóvenes norteamericanos. Dice:

«Querida María Elena,
Aprecio mucho tu programa y las soluciones que les ofreces a tus oyentes. Yo también necesito tu ayuda. Este verano unos jóvenes norteamericanos vinieron a pasar sus vacaciones en mi casa. Son muy simpáticos y todo va bien. Pero tenemos un problema con las comidas. No es que no quieren comer la comida que les preparo. Al contrario, quieren comerlo todo pero tienen hambre a horas muy peculiares: a las doce y a las seis de la tarde. ¿Qué debo hacer? ¿Debo cambiar mi horario normal para ellos o deben ellos acostumbrarse a nuestro horario? No quiero ofender a mis jóvenes huéspedes. Ayúdame, por favor.» Y firma: «Anfitriona preocupada»
Pues, Anfitriona, te tengo algunas sugerencias. En primer lugar, no debes cambiar tu horario normal. Los jóvenes deben conocer nuestras costumbres, entre ellas, la hora de las comidas. Pero, puedes aliviar el hambre de los jóvenes dándoles una ligera merienda cuando tienen hambre—quizás unos sándwiches o frutas. Gracias por tu carta y buena suerte con tu problema.

II. LENGUA EN CONTEXTO

A **Mis muebles.** Tu hermanita está describiendo las diferencias entre los muebles de sus muñecas *(dolls)*. Para saber lo que dice, forma oraciones según los dibujos y las palabras indicadas. *(2 ea. / 10 pts.)*

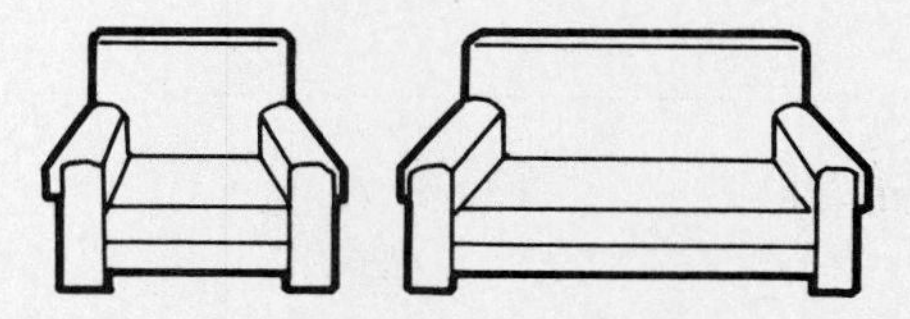

1. (largo)

El sofá es más largo que el sillón./El sillón es menos largo que el sofá.

2. (pequeño)

La silla es más pequeña que el televisor./El televisor es menos pequeño que la silla.

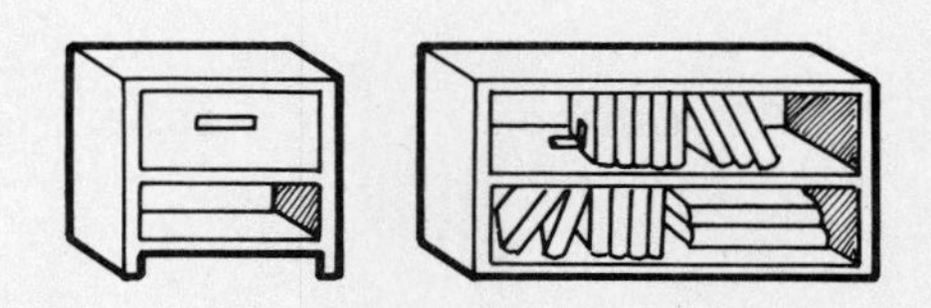

3. (alto)

La mesita es tan alta como el estante./El estante es tan alto como la mesita.

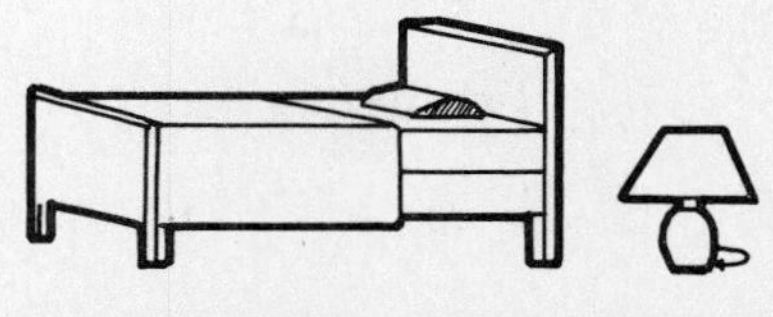

4. (grande)

La cama es más grande que la lámpara/La lámpara es menos grande que la cama.

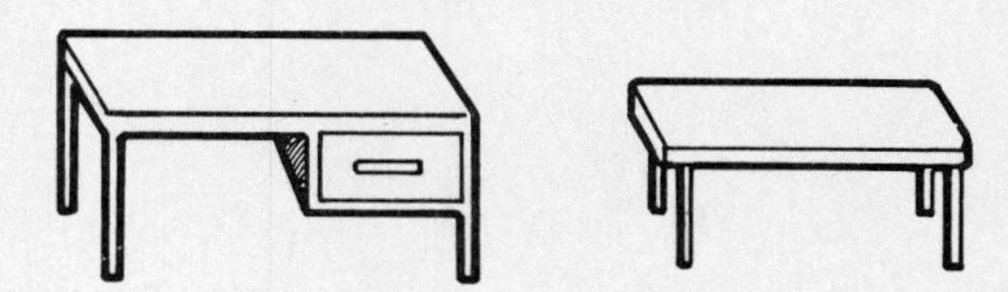

5. (bajo)

La mesa es más baja que el escritorio./El escritorio es menos bajo que la mesa.

Nombre ______________________________

Fecha ______________________________

B **¿Dónde?** ¿En qué cuarto hacen estas actividades los miembros de la familia de Benjamín? Contesta en el presente usando las palabras indicadas e incluye el nombre del cuarto apropiado. Usa un cuarto diferente en cada oración. *(2 ea. / 10 pts.)*

1. mamá / servir la comida / (¿cuarto?)
   Mamá sirve la comida en el comedor.
2. mis hermanos / lavar los platos / (¿cuarto?)
   Mis hermanos lavan los platos en la cocina.
3. papá / afeitarse / (¿cuarto?)
   Papá se afeita en el (cuarto de) baño.
4. yo / dormirse / (¿cuarto?)
   Yo me duermo en mi (la) alcoba/mi (el) cuarto.
5. todos nosotros / recibir a las visitas / (¿cuarto?)
   Todos nosotros recibimos a las visitas en la sala.

C **A comer.** Dos hermanos están hablando. Completa su conversación con las expresiones más apropiadas. *(1 ea. / 10 pts.)*

José: Caramba, Iris. Papá y mamá __1__ y no hay nada de comer.

Iris: Pues yo __2__ a un buen restaurante ayer. Se llama "El taco feliz."

José: ¿Ah sí? ¿Cómo __3__ la comida?.

Iris: ¡__4__!

José: ¿De veras? ¿Tan buena? ¿Qué __5__?

Iris: __6__ unos tacos de pollo excelentes.

José: Pues no __7__ los tacos. Sobre todo los dtacos de pollo. Casi nunca __8__. ¿Qué más hay?

Iris: Hay de todo. __9__ los zapatos __10__ y vámonos.

1.	salimos	(salieron)	vamos a salir
2.	(fui)	fue	voy
3.	estuve	(estuvo)	fui
4.	Ricamente	Riquísimo	(Riquísima)
5.	estás pidiendo	(pediste)	pidió
6.	pruebo	(probé)	probó
7.	(me gustan)	me gustaron	me gusta
8.	(los como)	los comí	los come
9.	Te pon	Ponlos	(Ponte)
10.	rápida	rapidísima	(rápidamente)

Nombre ______________________________

Fecha ______________________________

¡DIME! UNO — UNIDAD 8

EXAMEN

III. LECTURA Y CULTURA

¡Qué rico! Lee la selección que sigue. Luego indica si las oraciones que siguen son **Ciertas (C)** o **Falsas (F)**. *(2 ea. / 20 pts.)*

Comer en Madrid puede ser una fiesta. La diversidad de la cocina regional española y la indiscutible calidad de los platos internacionales hacen de Madrid un templo al arte de la buena mesa.

El único problema que encuentra el visitante es el tener que escoger entre miles de posibilidades que la ciudad nos ofrece: tascas, tavernas, restaurantes de lujo, asadores, hornos y bares ofrecen una variedad de comida tan diversa como la ciudad misma.

El primer grupo de restaurantes está en la vieja zona de la ciudad. En las tascas y tavernas del viejo Madrid, se puede probar la deliciosa cocina tradicional madrileña y las tapas tan características. La variedad de tapas es infinita y cada taverna tiene sus propias especialidades.

El segundo grupo incluye restaurantes dedicados a la cocina española y a las diferentes especialidades regionales. Los mejores pescados y mariscos llegan diariamente a la ciudad desde las costas.

Finalmente, Madrid cuenta con un buen número de restaurantes dedicados a la alta cocina internacional. Algunos de ellos se encuentran entre los mejores restaurantes europeos y sus nombres son conocidos por todos los amantes de la buena cocina.

(C) F **1.** Hay comida muy variada en Madrid.

(C) F **2.** Madrid es famoso por la comida nacional e internacional.

C (F) **3.** Madrid tiene dos tipos de restaurantes.

C (F) **4.** La comida internacional se encuentra en la vieja zona.

(C) F **5.** El viejo Madrid es famoso por sus tapas.

(C) F **6.** La cocina regional incluye platos de pescado.

C (F) **7.** Hay pocos restaurantes que sirven comida de otros países.

(C) F **8.** Hay tres categorías de lugares para comer en Madrid.

Ahora, basándote en el mismo artículo, selecciona la mejor respuesta para las oraciones que siguen.

9. El mejor título para esta selección es . . .
- **a.** Fiestas en Madrid.
- **b.** Restaurantes españoles.
- **(c.)** La cocina madrileña.

10. El autor de esta selección quiere . . .
- **a.** probar comida.
- **(b.)** ayudar a los turistas.
- **c.** visitar Madrid.

Nombre ____________________

Fecha ____________________

IV. ESCRITURA

A **¡Qué comida!** En preparación para escribir una descripción de tu última visita a un restaurante, contesta estas preguntas. *(2 ea. /10 pts.)*

Answers will vary. Sample answers:

1. ¿Cuándo fuiste al restaurante? el año pasado
2. ¿Por qué fuiste? mi cumpleaños
3. ¿Quiénes fueron? mis amigos y yo
4. ¿Qué comiste? pollo y papas
5. ¿Pasó algo interesante? No encontré el restaurante, pero mis amigos me llevaron allí y los camareros me cantaron.

B **¡Qué aventura!** Ahora describe tu visita al restaurante usando la información de la parte **A**. *(20 pts.)*

Answers will vary. Sample answer:

El año pasado mis amigos me invitaron a comer para celebrar mi cumpleaños. Me puse mi ropa más elegante y me arreglé muy bien. Mis amigos me dieron el nombre y la dirección de un nuevo restaurante. Seguí las direcciones y llegué a la dirección. Pero no encontré el restaurante. Estuve furioso(a). Después de cinco minutos mis amigos llegaron y me llevaron a un restaurante muy elegante que se llama El Mesón. Comimos pollo y papas y de postre, me sirvieron un pastel muy grande y delicioso. Además, todos los camareros me cantaron una canción. Fue muy divertido.

Nombre ______________________________

Fecha ______________________________

FINAL EXAM

I. COMPRENSIÓN ORAL

A **¿Dónde queda?** Estás de vacaciones y quieres cambiar dinero en el banco. Escucha las direcciones de un policía. Escribe un número de uno a cinco en cada espacio para indicar el orden de las direcciones que te da el policía. Escucha sus direcciones otra vez para verificar tus respuestas.
(2 ea. / 10 pts.)

__5__ Cruzar la calle.

__3__ Caminar 1 cuadra.

__4__ Tomar el bus.

__1__ Caminar 3 cuadras.

__2__ Doblar a la izquierda.

SCRIPT:
Para llegar al Banco Internacional, sigue derecho tres cuadras. Enfrente de la iglesia, dobla a la izquierda. Camina una cuadra y enfrente del restaurante italiano, hay una parada de autobuses. Sube al autobús número 19. Sigue en el bus hasta la calle Felipe Segundo. Baja allí y cruza la calle. Allí está el Banco.

B **Planes.** Lee las siguientes oraciones. Luego, escucha la conversación entre Inés y Susana. Escucha la conversación otra vez para verificar tus respuestas.
(2 ea. / 10 pts.)

1. Inés quiere . . .
- **a.** bailar en una discoteca.
- **b.** estudiar comercio.
- **(c.)** ir de compras.
- **ch.** comer en un restaurante.

2. Susana ya tiene planes para el . . .
- **a.** miércoles.
- **b.** jueves.
- **(c.)** viernes.
- **ch.** sábado.

3. Deciden salir el . . .
- **a.** viernes por la tarde.
- **b.** viernes por la noche.
- **c.** sábado por la mañana.
- **(ch.)** sábado por la tarde.

4. Inés va a ir a la casa de Susana a la(s) . . .
- **a.** 9:15.
- **(b.)** 3:45.
- **c.** 4:15.
- **ch.** 12:45.

5. También van a ir . . .
- **(a.)** al cine.
- **b.** a una fiesta.
- **c.** a la biblioteca.
- **ch.** a ver un partido.

SCRIPT:

Inés: Dime, Susana. ¿Te gustaría ir al nuevo centro comercial conmigo?
Susana: Sí, claro. Sabes cuánto me gusta ir de compras. ¿Cuándo quieres ir?
Inés: ¿El viernes por la noche está bien?
Susana: ¡Ay, Inés, qué lástima! Ya tengo planes. ¿Por qué no vamos el sábado?
Inés: Estoy ocupada por la mañana pero puedo ir por la tarde.
Susana: Perfecto. ¿A qué hora?
Inés: ¿Qué tal si paso por ti a las cuatro menos cuarto?
Susana: Excelente. ¿Y después quieres ver una película?
Inés: ¡Buena idea!
Susana: Pues, hasta el sábado, entonces.
Inés: Chao.

Nombre ______________________________

Fecha ______________________________

C **Mis vacaciones en México.** Estás escuchando la carta que escribió Arturo. Lee las oraciones. Luego, escucha la carta e indica si las oraciones son **Ciertas (C)** o **Falsas (F).** Escucha otra vez para verificar tus respuestas. *(2 ea. / 10 pts.)*

(C) F **1.** Arturo está escribiendo desde la capital de Michoacán.

C (F) **2.** Está aburridísimo.

(C) F **3.** En el lago Pátzcuaro pasó mucho tiempo en una lancha.

C (F) **4.** Visitó un colegio muy moderno.

(C) F **5.** Hay un acueducto en Morelia.

SCRIPT:
Saludos de Morelia. Estoy divirtiéndome muchísimo en esta ciudad colonial. Ya sabes que Morelia es la capital de Michoacán, un estado en el centro oeste de México. Casi conozco todo el estado y es interesantísimo. Un día fui a Pátzcuaro y pasé todo el día en el lago en una lancha. También compré artesanías típicas. Otro día fui al parque nacional Cupatitzio que es enorme y lindísimo. Caminamos muchas horas y comimos en un restaurante muy bueno. Hoy hice un tour de la capital y vi una escuela muy vieja, el Colegio San Nicolás, y también un acueducto larguísimo. Mañana salgo para la Ciudad de México. Te escribo otra vez de allí.

Nombre ______________________________

Fecha ______________________________

FINAL EXAM

II. LENGUA EN CONTEXTO

A **¡Qué cuarto!** Miguel necesita limpiar su cuarto. Mira el dibujo e indica si las oraciones son **Ciertas (C)** o **Falsas (F)**. *(1 ea. / 7 pts.)*

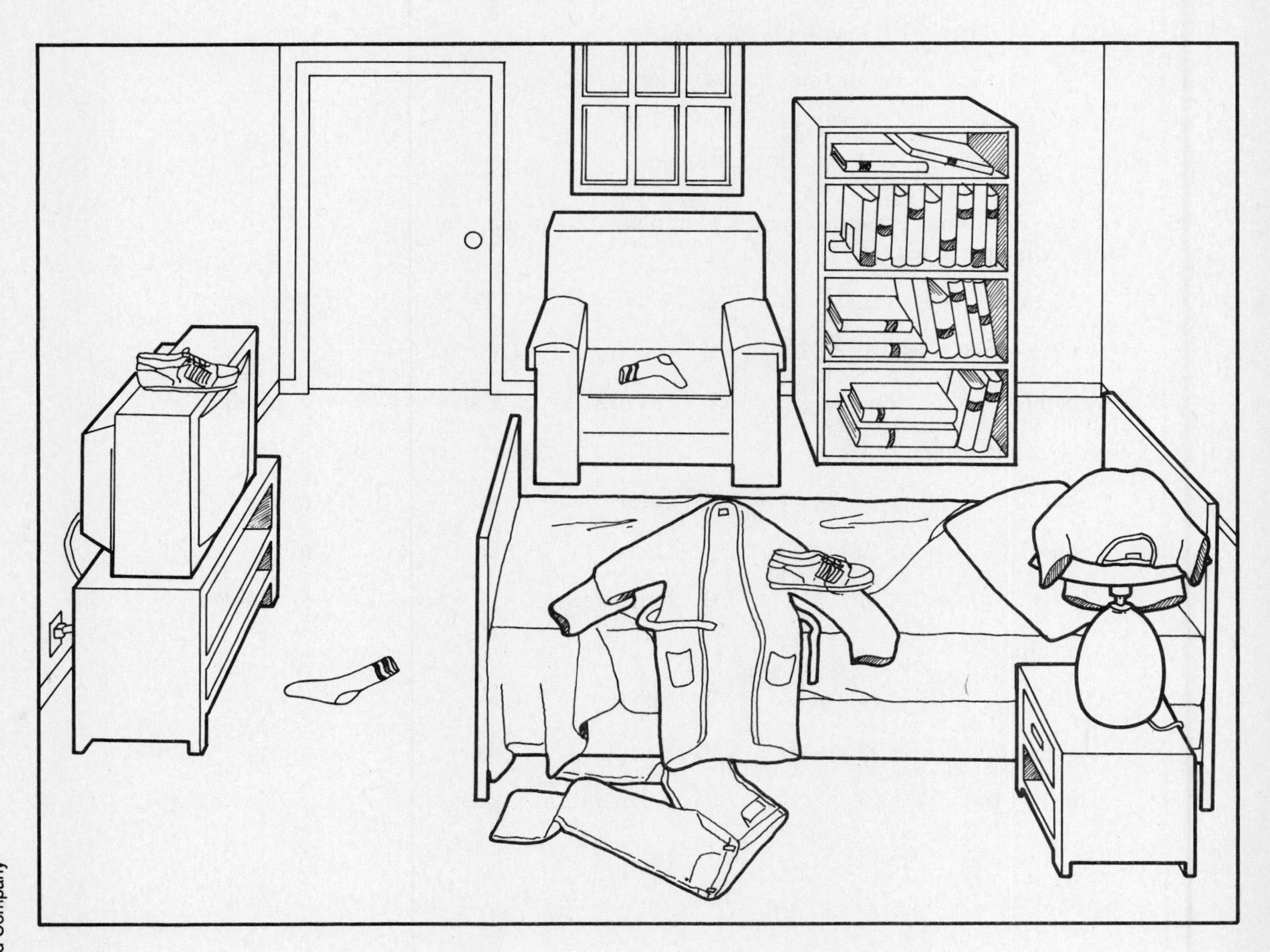

Ⓒ F **1.** El estante es más alto que el sillón.

C Ⓕ **2.** El televisor es tan grande como la mesita.

C Ⓕ **3.** Los pantalones están detrás de la cama.

C Ⓕ **4.** La ventana está enfrente de la puerta.

Ⓒ F **5.** Un zapato está encima del televisor.

C Ⓕ **6.** Una camiseta está en el sillón.

Ⓒ F **7.** La lámpara está al lado de la cama.

Nombre ______________________

Fecha ______________________

B **Necesito ayuda.** Tu hermanito(a) tiene problemas con su tarea de español. ¿Qué le dices? Selecciona la palabra que NO es del grupo. *(1 ea. / 6 pts.)*

1. natación	ciclismo	(correos)	esquí
2. avión	(caro)	camión	moto
3. morado	marrón	amarillo	(verdad)
4. (cochinillo)	cuchillo	cuchara	tenedor
5. baño	sala	cocina	(alfombra)
6. mano	nariz	(bocadillo)	oreja

C **¡Rápido!** Dos hermanas están hablando. Completa su conversación con las expresiones más apropiadas. *(1 ea. / 10 pts.)*

Yoli: Ya es tarde, Ana. ¡__1__!

Ana: ¿Por qué tienes tanta __2__? Tenemos mucho tiempo. __3__ un momento. Voy por mi suéter. Tengo __4__.

Yoli: Bueno, __5__, y póntelo __6__, ¿eh? Quiero llegar temprano.

Ana: Tienes __7__, Yoli. Dicen que __8__ película es muy popular.

Yoli: ¡Claro! A todos __9__ las películas de horror.

Ana: Sí, son __10__.

1.	Te vistes	Te viste	(Vístete)
2.	razón	(prisa)	hambre
3.	(Espera)	Espero	Esperas
4.	calor	sed	(frío)
5.	traes	(tráelo)	lo trae
6.	lentamente	(rápidamente)	cuidadosa
7.	(razón)	sed	prisa
8.	ese	(esa)	una
9.	le encantan	nos gusta	(les encantan)
10.	(buenísimas)	excelente	malas

Nombre ______________________

Fecha ______________________

¡DIME! UNO UNIDADES 5-8

FINAL EXAM

CH **Una carta.** Amelia es una nueva camarera. ¿Qué le dice a su mamá al describir un día típico? Completa su carta con la forma presente del verbo entre paréntesis. *(1 ea. / 8 pts.)*

Querida mamá,

Me encanta mi nuevo trabajo. Todos los días ___me despierto___ *(despertarse)* a las siete de la mañana y ___me arreglo___ *(arreglarse)* rápidamente. ___Salgo___ *(Salir)* a las siete y media porque mis compañeros y yo ___empezamos___ *(empezar)* a trabajar a las ocho. Mi trabajo es muy fácil porque los clientes casi siempre ___piden___ *(pedir)* la especialidad de la casa, arroz con pollo. Yo ___sé___ *(saber)* que les gusta mucho porque me dejan muy buenas propinas. A eso de las seis, ___vuelvo___ *(volver)* a casa. Después de ver televisión un rato, ___me acuesto___ *(acostarse)* muy cansada pero contenta.

Un abrazo muy fuerte de tu hija,
Amelia

D **Entrevista.** Agustín está entrevistando al señor Yáñez, un abogado de Honduras. Completa la conversación con la forma en el pretérito del verbo entre paréntesis. *(1 ea. / 9 pts.)*

Agustín: ¿Cuándo ___vino___ *(venir)* usted a Estados Unidos?

Yáñez: Pues ___llegué___ *(llegar)* a Miami el verano pasado.

Agustín: ¿Qué ___hizo___ *(hacer)* allí?

Yáñez: Muy poco porque no ___pude___ *(poder)* encontrar trabajo. Luego ___vi___ *(ver)* el anuncio para este puesto y les ___escribí___ *(escribir: yo)* con buenos resultados.

Agustín: ¿Le ___ofrecieron___ *(ofrecer: ellos)* el trabajo inmediatamente?

Yáñez: No, primero ___pidieron___ *(pedir)* cartas de recomendación y después, ___tuve___ *(tener: yo)* que venir para una entrevista. Y aquí estoy.

Agustín: Pues, nosotros estamos muy contentos de que usted esté aquí. ¡Bienvenido!

Nombre ______________________________

Fecha ______________________________

III. LECTURA Y CULTURA

¡Qué buenos! Quieres saber más de los deportes. Lee la selección que sigue y luego indica si las oraciones son **Ciertas (C)** o **Falsas (F)**. *(2 ea. / 20 pts.)*

Los cinco Rangers

Cinco de los jugadores del equipo Rangers de Texas son hispanos que tienen una habilidad extraordinaria con el bate. Este grupo de jugadores de las grandes ligas tiene un impacto impresionante en el deporte. Su entrenador dice que son jugadores de mucho talento y que también son buenas personas.

Julio Franco, el segunda base, es de la República Dominicana. En 1991, ganó un título de bateo con promedio de .341. Le gusta jugar muy intensamente. Para él, el béisbol es cosa seria y lo importante siempre es ganar. Uno de sus pasatiempos es coleccionar animales.

Rafael Palmeiro, natural de la Habana, es el primera base. Aprendió a jugar con su padre y ahora Palmeiro enseña el deporte a su propio hijo. Es una "máquina ofensiva" que en 1991 tuvo .322 de promedio, 26 cuadrangulares y 49 dobles.

Los últimos tres jugadores son puertorriqueños. Rubén Sierra, jardinero, tiene la ventaja de batear bien con los dos brazos. Tiene ganas de ser el mejor y llegar a la Serie Mundial.

Juan González y Iván Rodríguez son de Vega Baja, Puerto Rico. González es jardinero y Rodríguez es receptor. Rodríguez toma el juego de béisbol muy en serio. Hasta jugó el día de su boda. Los dos tienen un buen futuro.

(C) F **1.** Los cinco jugadores son buenos bateadores.

C (F) **2.** Todos juegan la misma posición.

C (F) **3.** Julio Franco es de Sudamérica.

(C) F **4.** A Franco le gustan los animales.

(C) F **5.** Rafael Palmeiro es de Cuba.

C (F) **6.** En 1991, Palmeiro bateó mejor que Franco.

C (F) **7.** Rubén Sierra es el padre de Julio Franco.

(C) F **8.** González y Rodríguez son del mismo pueblo.

(C) F **9.** Tres de los jugadores son de Puerto Rico.

(C) F **10.** Sierra sabe batear con el brazo derecho y el izquierdo.

Nombre ______________________________

Fecha ______________________________

¡DIME! UNO UNIDADES **5-8**

FINAL EXAM

B **¡Una carta!** Ana recibió esta carta de Leonor. Lee la carta y selecciona la mejor respuesta. *(2 ea. / 10 pts.)*

> Miami, 15 de junio
>
> Querida Ana,
>
> ¿Cómo estás? Mejor que yo, espero. Yo no estoy nada bien.
>
> No vas a creer lo que me pasó. El sábado pasado salí a jugar tenis con unas amigas. Jugué bien al principio, pero luego, en el segundo partido, choqué con mi compañera y las dos nos caímos. Ella se levantó inmediatamente, sin problema, pero yo no pude levantarme. ¡No te imaginas el dolor que sentí en el pie derecho!
>
> Mis amigas llamaron a mis padres y ellos me llevaron al hospital. Tuvimos que esperar media hora en la sala de emergencia y por fin, entré a ver al médico. Después de examinarme el pie, dijo <<Lo siento, señorita, pero su pie está roto. Tenemos que operarlo y ponerlo en yeso. Usted tendrá que pasar la noche aquí.>> Así fue.
>
> Ahora no puedo caminar sin muletas. Pero hay una cosa buena en todo esto. ¿Recuerdas al chico alto y guapo que conocimos en la fiesta de Marisol? Pues, él me acompaña a todas mis clases y lleva mis libros. Es muy simpático. Creo que vamos a ser novios.
>
> Escríbeme pronto. Quiero saber de tu vida. Estoy muy aburrida a veces, porque no puedo salir mucho.
>
> Un abrazo de tu prima,
> Leonor

1. El sábado pasado, Leonor . . .
- **a.** ganó dos partidos de tenis.
- **b.** se quedó en casa.
- **c.** tuvo un accidente. (circled)
- **ch.** se levantó con un dolor.

2. Los padres de Leonor . . .
- **a.** la llevaron al hospital. (circled)
- **b.** vieron el partido.
- **c.** llamaron al médico.
- **ch.** examinaron su pie.

3. El médico de Leonor . . .
- **a.** examinó su brazo.
- **b.** le dio medicina.
- **c.** pasó la noche en el hospital.
- **ch.** le puso yeso en el pie. (circled)

4. Un resultado positivo de esta situación es que . . .
- **a.** Leonor camina sin muletas.
- **b.** un amigo guapo le ayuda a Leonor. (circled)
- **c.** Marisol tuvo una fiesta.
- **ch.** Ana tiene un nuevo novio.

5. Leonor está aburrida porque . . .
- **a.** no tiene muchos amigos.
- **b.** tiene que guardar cama.
- **c.** pasa mucho tiempo en casa. (circled)
- **ch.** no puede ir a la escuela.

Nombre ______________________________

Fecha ______________________________

WRITING TOPICS

A. Escribe una carta a un(a) amigo(a) y cuenta lo que hiciste durante tus últimas vacaciones. Escribe un mínimo de dos párrafos.

B. Tú vas a conocer a una persona famosa. Identifica a la persona y escribe una lista de todas las preguntas que quieres hacerle (de 10 a 15 preguntas).

C. Trabajas para el periódico de la escuela. Escribe un artículo sobre un restaurante que conoces o un evento deportivo reciente.

These topics are provided for teachers who wish to evaluate their students' writing skills at the end of the year. These topics may be assigned at the time of the Final Exam or on another day. Teachers may either assign a particular topic or allow students to choose. Teachers should assign a point value they deem appropriate.

TESTING PROGRAM
PRUEBAS Y EXÁMENES

INTERACCIONES
SITUATION CARDS

INTERACCIONES SITUATION CARDS

Using the *Interacciones* situation cards

The ***Interacciones*** situation cards have several possible functions. However, they are provided here primarily to offer teachers a convenient way to evaluate student progress in oral communication skills.

The ***Interacciones*** cards are keyed to each unit. They are designed to provide students with an opportunity to use language currently being learned and to recycle previously learned material. Teachers may not wish to "test" oral production for each unit. In this case, the ***Interacciones*** situation cards provide convenient additional practice for advanced students.

The situations are meant to be role-played spontaneously, without written preparation, although students may be allowed two or three minutes to think through the possible content of the conversation. Each card describes a context in which the conversation takes place and identifies the basic content of the conversation. Students should be encouraged to elaborate or extend the exchanges according to their abilities.

Testing oral production

How to best use class time for oral testing, procedure, and grading is always of concern to teachers. The following are some suggestions for workable solutions.

- When the ***Interacciones*** situation cards are used for oral "testing," teachers will find it convenient to integrate testing sessions with elements of the ***Escribamos un poco*** writing program. Teachers may call upon pairs (or occasionally triads) of students to role-play a randomly selected situation while classmates are working on writing drafts, providing peer feedback on draft content, or group editing prior to the final version of the writing assignment.

- The ***Interacciones*** situations are designed to be student/student interactions, though the teacher may choose to introduce greater control by playing one of the roles him/herself. This would extend the time required to grade all students, so it may not be a practical option for every unit. However, since growth in communication skills is cumulative, teachers may want to consider grading part of a class in one unit, and the rest of the class in another unit.

Grading oral production

Teachers may grade students as they interact, or choose to audio- or videotape the exchanges and grade them outside of class time. For those teachers maintaining student or class portfolios, taped situations will also provide a valuable record of growth.

Grading of oral situations should be holistic—evaluating how completely the task was accomplished, how much extension students were able to integrate, and how comprehensible the exchange would be to a "sympathetic" native speaker, that is, one accustomed to the language used by beginners. A possible grading scale might look as follows:

A	Task was complete, all elements were covered. Participant provided considerable expansion or extension. There were some errors in pronunciation, lexical choices or structure but none that would interfere with a native speaker's comprehension. Language would be fully comprehensible to a sympathetic native speaker.
B	Task was complete, all elements were covered. Participant provided some expansion or extension. There were some errors in pronunciation, lexical choices or structure which could interfere with a native speaker's comprehension.
C	Task was mostly complete, some elements left out or incomplete. Little or no extension. Language possibly not comprehensible to a native speaker, but understood by teacher.
D	Task incomplete. No extension. Many serious errors or considerable use of English. Not truly comprehensible as Spanish, even to teacher.
F	No attempt made. Totally incomprehensible. Entirely or mostly in English.

INTERACCIÓN 1
Two students

UNIDAD 1

Introduce yourselves to each other and tell where you are from.

¡DIME! UNO

INTERACCIÓN 2
Two students

UNIDAD 1

Introduce a new student at your school to your Spanish teacher. Respond appropriately to your teacher's comments and questions.

¡DIME! UNO

INTERACCIÓN 3
Two or three students

UNIDAD 1

You are new students in this class.

- Greet each other.
- Find out each other's name.
- Find out where the others are from.
- Say good-bye.

¡DIME! UNO

INTERACCIÓN 4
One or two students

UNIDAD 1

Describe two of the following people:

- Your best friend
- Your mother or father
- Your favorite teacher
- Yourself

¡DIME! UNO

INTERACCIÓN 5

UNIDAD 2

Two or three students

- Tell what you are going to do after school one day this week.
- Ask what your friends are going to do.

¡DIME! UNO

INTERACCIÓN 6

UNIDAD 2

Two or three students

- Tell what your plans are for the weekend.
- Ask about your friends' plans.

¡DIME! UNO

INTERACCIÓN 7

UNIDAD 2

Two students

- Talk about your class schedule.
- Ask about your friend's schedule.

¡DIME! UNO

INTERACCIÓN 8

UNIDAD 2

Two or three students

Find out where each of you is at particular times during the school day.

¡DIME! UNO

INTERACCIÓN 9

UNIDAD 2

One or two students

Describe the students and teachers at your school.

¡DIME! UNO

INTERACCIÓN 10

UNIDAD 2

Two students

- Find out your friend's phone number.
- Give your friend your phone number.

¡DIME! UNO

INTERACCIÓN 11

UNIDAD 3

Two students

- Tell where you go after school.
- Find out where your friend goes.

¡DIME! UNO

INTERACCIÓN 12

UNIDAD 3

Two or three students

- Tell what you like to do on the weekend.
- Ask what your friends like to do.

¡DIME! UNO

INTERACCIÓN 13

UNIDAD 3

Two students

- Tell what obligations you have on the weekend (things you have to do).
- Find out what your friend has to do.

¡DIME! UNO

INTERACCIÓN 14

UNIDAD 3

One or two students

Describe the weather today in detail.

¡DIME! UNO

INTERACCIÓN 15

UNIDAD 3

Two or three students

- Tell what you generally do during different seasons of the year.
- Find out what your friends like to do.

¡DIME! UNO

INTERACCIÓN 16

UNIDAD 3

Two or three students

- Tell what you generally do in different types of weather.
- Find out what your friends like to do.

¡DIME! UNO

INTERACCIÓN 17

UNIDAD 3

Two students

- Tell what you and your friends do on Saturday afternoons.
- Find out what your partner does.

¡DIME! UNO

INTERACCIÓN 18

UNIDAD 4

Two students

- Describe your family.
- Find out about your friend's family.

¡DIME! UNO

INTERACCIÓN 19

UNIDAD 4

Two students

You are new friends.

- Greet each other.
- Find out each other's name.
- Find out each other's age and birthday.

¡DIME! UNO

INTERACCIÓN 20

UNIDAD 4

Two or three students

Tell each other what you like to do to celebrate birthdays.

¡DIME! UNO

INTERACCIÓN 21

UNIDAD 4

Two or three students

- Tell what (profession) you want to be in the future and explain why.
- Find out what your friend wants to be.

¡DIME! UNO

INTERACCIÓN 22

UNIDAD 4

One or two students

Describe a person that you want to meet and tell why.

¡DIME! UNO

INTERACCIÓN 23

UNIDAD 4

Two students

One of you is a reporter and the other is a famous person. The reporter asks questions to find out as much as possible about the famous person. The famous person answers the questions.

¡DIME! UNO

INTERACCIÓN 24

UNIDAD 4

One or two students

Look around the room and describe what is happening.

¡DIME! UNO

INTERACCIÓN 25
UNIDAD 4

Two students

- Tell what members of your family are doing at this moment.
- Find out what your friend's family is doing.

¡DIME! UNO

INTERACCIÓN 26
UNIDAD 4

Two students

You are at the park talking to your friend from a pay phone. Your friend is at a party.

- Greet each other.
- Tell who is at the park.
- Describe what people are doing.
- Find out what each of you is doing later.
- Say good-bye.

¡DIME! UNO

INTERACCIÓN 27
UNIDAD 4

Two students

Each of you assumes a new identity. Find out as much information as possible about each other.

¡DIME! UNO

INTERACCIÓN 28
UNIDAD 5

Two students

One of you is new in town. Find out how to go from the school to one of the following places. Then switch roles.

- the bank
- the Post Office
- a hotel
- a church
- a restaurant

¡DIME! UNO

INTERACCIÓN 29

UNIDAD 5

Two students

You are siblings (brother[s] / sister[s]) Take turns giving each other orders.

¡DIME! UNO

INTERACCIÓN 30

UNIDAD 5

Two students

- Brag about what you know how to do.
- Ask if your friend can do the same things.

¡DIME! UNO

INTERACCIÓN 31

UNIDAD 5

Two students

One of you is a clerk and the other is a shopper looking for a present. The shopper asks questions and the clerk makes suggestions until the shopper finds an acceptable gift and buys it.

¡DIME! UNO

INTERACCIÓN 32

UNIDAD 5

Two or three students

You are friends shopping in a clothing store. Discuss the clothes you like and don't like.

¡DIME! UNO

INTERACCIÓN 33

UNIDAD 5

Two students

Describe your favorite outfit (or type of clothing) to each other.

¡DIME! UNO

INTERACCIÓN 34

UNIDAD 5

Two students

- Invite your friend to go shopping.
- Decide where to go.
- Decide when to go.
- Decide what to do afterwards.

¡DIME! UNO

INTERACCIÓN 35

UNIDAD 5

Two or three students

You go into a café and order a snack, including drinks. Another person takes your order.

¡DIME! UNO

INTERACCIÓN 36

UNIDAD 5

Two students

You are in a restaurant and have just finished eating. Ask for the check and discuss the tip you will give.

¡DIME! UNO

INTERACCIÓN 37

UNIDAD 5

Two students

Tell each other your favorite fast-food place and tell why you like it. Mention food, prices, other people who go there, etc.

¡DIME! UNO

INTERACCIÓN 38

UNIDAD 6

Two students

- Tell what you did yesterday.
- Find out what your friend did.

¡DIME! UNO

INTERACCIÓN 39

UNIDAD 6

Two students

- Invite your friend to go to the movies sometime this weekend.
- Your friend cannot go but suggests another time.
- Decide when you can both go.

¡DIME! UNO

INTERACCIÓN 40

UNIDAD 6

Two students

- Name a movie or TV program you saw recently.
- Give your opinion of it.
- Find out if your friend saw it.
- Find out if your friend liked it.

¡DIME! UNO

INTERACCIÓN 41

UNIDAD 6

Two students

You are a guidance counselor and your partner is a student who has been having problems in school.

- Find out why the student didn't do his or her homework.
- The student makes excuses.
- Give the student advice.

¡DIME! UNO

INTERACCIÓN 42

UNIDAD 6

Two or three students

You run into each other at the mall. You have lots of packages. Discuss where you bought each item and how much it cost.

¡DIME! UNO

INTERACCIÓN 43

UNIDAD 6

Two students

You missed school yesterday.

- Ask your friend questions to find out what happened.
- Your friend answers your questions and asks you what you did.
- Answer your friend's questions.

¡DIME! UNO

INTERACCIÓN 44

UNIDAD 6

Two or three students

An exchange student is coming to visit your town. Discuss where you will take this person and why.

¡DIME! UNO

INTERACCIÓN 45

UNIDAD 6

One or two students

Tell your favorite place to eat and explain how to get there from the school.

¡DIME! UNO

INTERACCIÓN 46

UNIDAD 6

One or two students

Describe the last time you went to your favorite restaurant, telling…

- who went with you.
- what you ate.
- what you did afterwards.

¡DIME! UNO

INTERACCIÓN 47

UNIDAD 7

Two students

One of you is a new student. Find out the name of five students in the class by describing them to your partner. Switch roles.

¡DIME! UNO

INTERACCIÓN 48

UNIDAD 7

Two or three students

One of you is an exchange student. Interview this person about his or her activities over the past weekend.

¡DIME! UNO

INTERACCIÓN 49

UNIDAD 7

Two students

Your friend is hurt. Ask your friend to move various parts of his or her body to find out what is wrong. Switch roles.

¡DIME! UNO

INTERACCIÓN 50

UNIDAD 7

Two students

You have a broken leg. Tell your friend where to put different things (furniture, various possessions) to make things easier for you. Switch roles.

¡DIME! UNO

INTERACCIÓN 51

UNIDAD 7

One or two students

Ask your teacher a series of questions about what he or she did during the last vacation.

¡DIME! UNO

INTERACCIÓN 52

UNIDAD 7

Two students

You had an appointment with your friend, but you didn't show up. Your friend wants to know why. Give a good explanation. Switch roles.

¡DIME! UNO

INTERACCIÓN 53
UNIDAD 7

Two students

Describe your rooms at home to each other. Find out what characteristics they have in common.

¡DIME! UNO

INTERACCIÓN 54
UNIDAD 7

Two or three students

Discuss possible ways to rearrange the classroom.

¡DIME! UNO

INTERACCIÓN 55
UNIDAD 7

Two or three students

Tell each other what sports you participate in during each season.

¡DIME! UNO

INTERACCIÓN 56
UNIDAD 7

One or two students

Describe an incident (real or imaginary) that happened at a sporting event.

¡DIME! UNO

INTERACCIÓN 57

UNIDAD 8

Two students

Discuss your regular daily routine with your partner.

¡DIME! UNO

INTERACCIÓN 58

UNIDAD 8

One or two students

Tell what you did yesterday. Mention the different times of day that you did them.

¡DIME! UNO

INTERACCIÓN 59

UNIDAD 8

Two or three students

Discuss how your weekend routine is different from your weekday routine. Indicate why you prefer one over the other.

¡DIME! UNO

INTERACCIÓN 60

UNIDAD 8

Two students

Your Spanish class is at a restaurant. Call your friend, who is sick at home, and describe what is happening at the restaurant. Your friend asks lots of questions.

¡DIME! UNO

INTERACCIÓN 61

UNIDAD 8

Two students

Describe your ideal house to each other. Mention the number and location of various rooms. How do your houses compare?

¡DIME! UNO

INTERACCIÓN 62

UNIDAD 8

One or two students

Compare yourself with one of the following people:

- your best friend
- a member of your family
- a favorite music or sports figure

¡DIME! UNO

INTERACCIÓN 63

UNIDAD 8

One or two students

Tell what happened the last time you went out to eat. Mention who went with you, the foods you ordered and your opinion of the food.

¡DIME! UNO

INTERACCIÓN 64

UNIDAD 8

Two or three students

Discuss what you consider a "perfect" food day with a friend. What do you eat and at what time of the day? How do your "perfect" food days compare?

¡DIME! UNO

INTERACCIÓN 65

UNIDAD 8

Two or three students

Discuss your plans for summer.

¡DIME! UNO

INTERACCIÓN 66

UNIDAD 8

Two students

Discuss in detail how you get ready for school in the morning.

¡DIME! UNO

INTERACCIÓN

UNIDAD

¡DIME! UNO

INTERACCIÓN

UNIDAD

¡DIME! UNO

INTERACCIÓN **UNIDAD**

¡DIME! UNO

INTERACCIÓN **UNIDAD**

© D.C. Heath and Company

¡DIME! UNO

INTERACCIÓN **UNIDAD**

© D.C. Heath and Company

¡DIME! UNO

INTERACCIÓN **UNIDAD**

© D.C. Heath and Company

¡DIME! UNO